Ideas for Double-sided Knitted Scarves

裏も楽しい

手編みのマフラー

嶋田俊之

文化出版局

はじめに

初めて編み物を習ったときに、マフラーを編んだ人は多いのではないでしょうか。
でき上りのサイズをあまり気にせずに編めるマフラーは、
どこか少し気が楽に感じていたことを思い出します。

編み物は、表面と裏面で編み地の表情が違うことが多く、
凝った柄のマフラーなどは、巻くときに表裏に気を配ったりします。
この本では、できるだけ、両面を楽しめる編み地を紹介しました。
裏が見えても素敵という考え方のものから、全く両面同じ、さらには、
両面使えてそれぞれ違う表情のものまで、今までのテクニックの考え方を、
更に少し発展させたりすることで、少し驚きの楽しいマフラーができました。

マフラーという、ごくシンプルなアイテムの中で、また、長方形というカタチや、
棒針編みだけを使うという限定された中で、見たことのないような新しいテクニックや、
様々な編み地の表情など、編み物の無限の可能性を感じていただければと思っています。

糸の素材や色、太さ細さ、針の号数や、幅や長さで、年齢や性別に関係なく、
どなたにでも楽しんでもらえるマフラーであってほしいと思っています。

嶋田俊之

A

how to knit
p.54

［同時に編むアラン模様、両面違う柄で］ 作品D、Eから、より展開させたマフラー。柄の違うアラン模様を２枚とじ合わせたように見えますが、１枚の編み地として、両面で違うアラン模様を編んでみました。この編み方は、どんなアラン模様も大丈夫というわけにはいきませんが、どちらが表になってもすてきなので、それぞれの面の表情を楽しんでください。

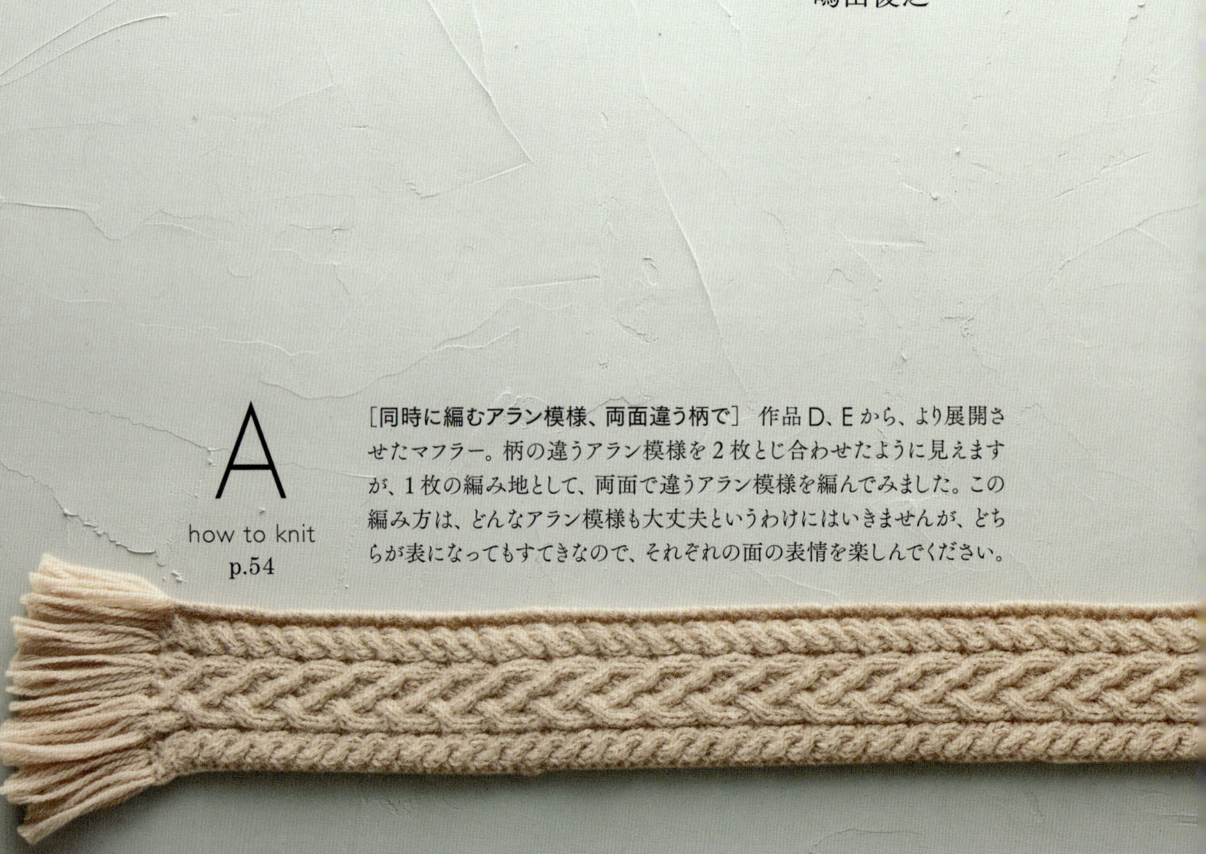

CONTENTS

B

how to knit
p.50

［**表裏に縄編みを編んで**］ アラン模様のマフラーは、縄編みの表情が出る表と、でこぼこと出る裏の表情が、それぞれはっきりしてしまい、巻くときに気をつかったりしていました。簡単なテクニックだけれど、裏面にも模様を入れ、どちらの面でも縄編みを編むことで、どちらが表になっても大丈夫。縄編みの表情と、裏面として出る部分の表情のバランスが大切です。

C

how to knit
p.49

［**1目ゴム編みのアラン模様、両面同じ柄で**］作品Bでは、表目と裏目の表情を交互に取り入れましたが、ここでは両面を表編みに見せるために、1目ゴム編みがベースになっています。アラン模様の交差を連続して編むだけで、両面同じ模様があらわれて、両サイド同じ表情のマフラーになりました。フリル風の両端やモヘアの毛糸で、ボリュームのある優しい表情にしてみました。

D

how to knit
p.52

［同時に編むアラン模様、両面同じ柄でⅠ］どちらの面にも同じアラン模様があらわれるマフラー。2枚の編み地をとじ合わせたのではなく、1枚の編み地なので、すっきり巻くことができます。2目ゴム編みをベースに、両面でアラン模様の交差をしていきます。2目ゴム編みの凹凸を生かしながらアラン模様を作っていくと、2目ずつ柄がずれるので、両脇の表情にも気をつかって編んでいきます。

E

how to knit
p.55

［同時に編むアラン模様、両面同じ柄でⅡ］作品Dを、より繊細にデザインしてみました。糸を細くして、凝った柄にしたばかりでなく、両面に同時にあらわれるアラン模様のねじれた縄編みの表情を、より美しく見せるために、通常ではあまり使わない交差編みをします。今までに見たことのないアラン模様のマフラーです。

F

how to knit
p.60

［ジグザグ模様のリバーシブル編み］　両面同時に編むリバーシブル編みは、今までにもありました。1段編むごとに、一度に両面分の目数を編み、色がネガポジに出てきます。そこに、ちょっとしたデザインやテクニックを加えて。色糸を替える位置の工夫、目数の増減によって編み端にカーブをつけてみる、ガーター編みで編み地に変化をつける…まだまだ発展させることができそうです。

G

how to knit
p.62

［**ハウス柄リバーシブル編み、3色づかい**］朝焼け、夕焼けに家が並んでいるような柄のリバーシブル編みは、グラデーションがきれいにあらわれるように細かく色変えをしますが、通常のリバーシブル編みをより展開させて、3色の糸を同時に編み進めていく部分が含まれています。メインの2色の表と裏に出る色の分量や、色の切替え位置などが、巻いたときのバランスの決め手にもなります。

H

how to knit
p.64

［**リバーシブル編みのアラン模様、アイコードつき**］
リバーシブル編みと同時にアラン模様の編み地ができないか挑戦してみました。両面同時に編むアラン模様の交差は少し複雑ですが、表に出ない色は裏に出て、裏で出ない色は表に出て、同じ表情の縄編みにすることができました。アラン模様に似せて、細いチューブ状のアイコードをねじりながら回りに編みつけていくテクニックも新鮮です。

how to knit
p.66

［両面違う柄の１色づかいビーズニッティング］ ビーズをあらかじめ毛糸に通しておき、編みつけていくビーズニッティング。一般的には片面に模様を出しますが、ガーター編みをベースにするので、どちらの面でもビーズで模様を描けることに気づきました。好みで両面全く同じ柄もできますが、ここでは、巻いたときの表情や、編んでいるときの楽しさを考えて、それぞれ違う柄にしてみました。

J

how to knit
p.68

［両面違う柄の２色づかいビーズニッティング］作品1からさらに２色のビーズを編みつけることはできないか。でも、柄のとおりに、あらかじめ２色のビーズを毛糸に通していくのは、とても時間がかかりそう。1本の糸にＡ色のビーズを、もう１本の糸にB色のビーズを通して、２本どりで編む方法で解決することを思いつきました。好みで表面がすべてA色、裏面がすべてＢ色など、まだまだ進化する余地もあります。

K

how to knit
p.70

［**ちょうちん形シェイプのバスケット編み**］ かごに似せたバスケット編みの表情は、以前から裏もおもしろいと思っていました。そのまま使って裏が見えても楽しいのではと。ただ、そのまま編むのでは、表情に乏しいかとも思い、微妙なグラデーションの毛糸や、極端な目数の増減で、巻いたときにフォルムが引き立つようにデザインしてみました。色や素材を変えると違う表情が楽しめます。

L

how to knit
p.74

［袋状に編みつなぐかご編み］ かごのように編まれた表情は、作品Ｋにも似ていますが、全く別の編み方をしています。１枚１枚色を変えて、できるだけとじはぎを使わず、まるでパズルのように編み足していく方法で袋状に編み進めます。パーツとパーツを編みつなぐときは、かごの表情に似せて、目を拾い残して小さな穴をあけていきます。ふんわりとボリュームが出て、優しい巻き心地です。

M

how to knit
p.65

［**かのこ編みにくりくりカールしたフリンジ**］　かのこ編みをベースに、くりくりとカールした、しっぽのようなフリンジを回りに配して。フリンジは、すべてかのこ編みと同時に編みつけていきますが、カールした表情がうまく出るように、針の号数を一部分のみ変えて編みます。かのこ編みの部分より、フリンジの部分にかなりボリュームがあり、波打つような編上りになるのがポイント。フリンジの長さは、自由に変化させてください。

N

how to knit
p.76

［総ボッブル柄にグラデーションのフリンジ］ 片面には変りボッブルのような地模様を全面に、もう片面にはボリュームのあるくるくるしたフリンジを、長さのグラデーションをつけて編んでみました。両面それぞれで、同時に違う編み方で編み進めます。フリンジは、作品Mとは違う表情を求めて、別の編み方で編んであります。色や素材、フリンジの長さや位置で、いろいろアレンジも楽しめます。

O

how to knit
p.80

［フェアアイルのたっぷりサイズの編込み］ フェアアイルの編み地は、往復編みの１枚の編み地として裏面の渡り糸が見えてもおもしろいと思いますが、ここでは、伝統的な輪に編む方法で編んでいます。袋状にでき上がった編み地は、厚みは出ますが、幅や長さをたっぷりとることで、主役にもなるボリューム感。暖かさも抜群です。ナチュラルカラーの色違いも、編んでみました。

P

how to knit
p.78

［フェアアイルの編込み、ポンポンつき］ 幼いころ巻いていたような、懐かしいスタイルのマフラーも、シックな色や柄で普段使いにも使えます。小さな筒状にぐるぐる編み進めますが、輪に編むときに生じる問題、柄が途中で切れてしまう段ズレの位置では、ちょっとしたテクニックを使うことで、どこが輪の始まり位置か、わからないようにすることができます。ポンポンや長さはお好みで変化をつけて。

Q
how to knit
p.79

［**モザイク模様のカラフルな編込み**］ 編込み模様は、丁寧に糸の始末をすることで、裏も見せたくなる仕上りに。色を変えるときに交差された色糸どうしが、まるでステッチのようです。連続模様の多色づかいの編込みの場合は、あらかじめ編み込むパーツに必要な長さをはかり、それぞれ短く切ってから始めると、糸もからまりにくく、編み進めやすいです。色の配分は、その時々の色遊びの気分でも。

R

how to knit

p.82

［プリーツ模様で］ プリーツのような表情の編み地は、表目と裏目だけで簡単にできる編み地の一つ。もちろん両面同じ表情になります。しっかりひだが出てほしいときは、きっちりと編んだほうがいいのですが、柔らかい糸や編み加減の工夫で、いろいろな表情も出せます。

S

how to knit
p.83

［はしご模様の透し柄で］ 透し柄を引き立てる、綿モールの糸で編んでみました。かけ目や２目一度の繰返しですが、２目のかけ目でできる透し柄部分のねじれた糸の表情が、段染め糸の微妙な色の変化で、楽しい透し柄の編み地になりました。

T

how to knit
p.59

［**ギャザーを寄せて**］ 編み地の目数を倍にしたり、2分の1に戻したりするだけで、簡単にギャザーを作りながら編み進めることができます。ギャザーの間には透し模様を入れて、よりロマンチックに。モヘアの毛糸で、よりいっそう優しさを出して。

U

how to knit
p.85

［蝶々模様の引上げ編みで］ 数段にわたって引き上げられた編み方は、まるで蝶々の連続模様のよう。表裏で同じ柄が交互に配されるので、少しリッチなボリュームが出ます。段染めの糸で表情に変化をつけ加えました。

V

how to knit
p.86

［**ガンジー風に表目と裏目で**］　表目と裏目だけで柄を浮かび上がらせる編み方は、伝統的なガンジーセーターなどにも見られます。どちらの面を見ても、それぞれにきれいに柄が出るように表目と裏目のバランスに気をつけてデザインしました。巻いたときの表情を思い浮かべてフリンジのつけ位置にも一工夫して。

W

how to knit
p.84

［**ジグザグ模様にポンポン**］　増し目と3目一度で作るジグザグ模様は、片方から編んでいくと、もう片方のジグザグが反対向きになってしまうのが気になりました。両端が全く同じになるように、真ん中で四角のモチーフを作り、編み出すことできれいにおさめました。ポンポンや段染め糸で遊び心をプラスして。

X

how to knit
p.88

［ベリー柄の変り引上げ編み、9目一度］　優しい表情の透し柄。これもちょっとした工夫で、両面同じに柄を出すことができました。ふっくらしたいちごのようなベリー柄は、両面からふんわり引き上げた糸を、9目一度にすることで作ります。編始めは、増減を自然に生かしたシェイプのままに。

Y

how to knit
p.90

[変りイギリスゴム編み、ネガポジの柄入り] 両面にそれぞれ違う色が出る、変りイギリスゴム編みを基本に、途中で色を反転させたり、すべり目を使って柄を出したり、動きのある変化をつけました。丁寧に編んで、アンゴラとシルクウールの、極上の肌触りを楽しんでください。

C　1目ゴム編みのアラン模様、両面同じ柄で

p.6

【材料】ホビーラホビーレ　モヘヤポージーのローズ色（57）190g
【用具】5号棒針、縄編み針、5/0号かぎ針
【ゲージ】49目33段が10cm四方
【でき上り寸法】幅約14.5cm、長さ約175cm
【編み方】

作り目と伏止めに5/0号かぎ針を使用します。

作り目は、p.94を参照してかぎ針で棒針に編みつける方法（目と目の間に鎖3目作る）です。棒針に71目作り、最後は鎖4目を編んで、4目めを棒針にかけて、72目にします。

基本は1目ゴム編みです。14段編んで、15段めは図のように6目ずつの1目ゴム編みの交差模様を編みます。その後は10段めごとに交差模様を編み、合計56回繰り返します。

最後の交差模様の後、14段1目ゴム編みを編んで伏止めをします。伏止めもかぎ針を使います。端の1目にかぎ針を入れて鎖3目を編みます。次の目に針を入れて糸をかけて2目一緒に引き抜きます。これを繰り返して伏止めします。

でき上り図

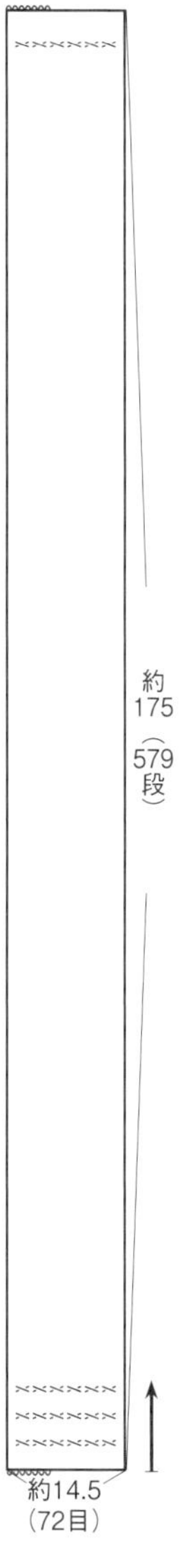

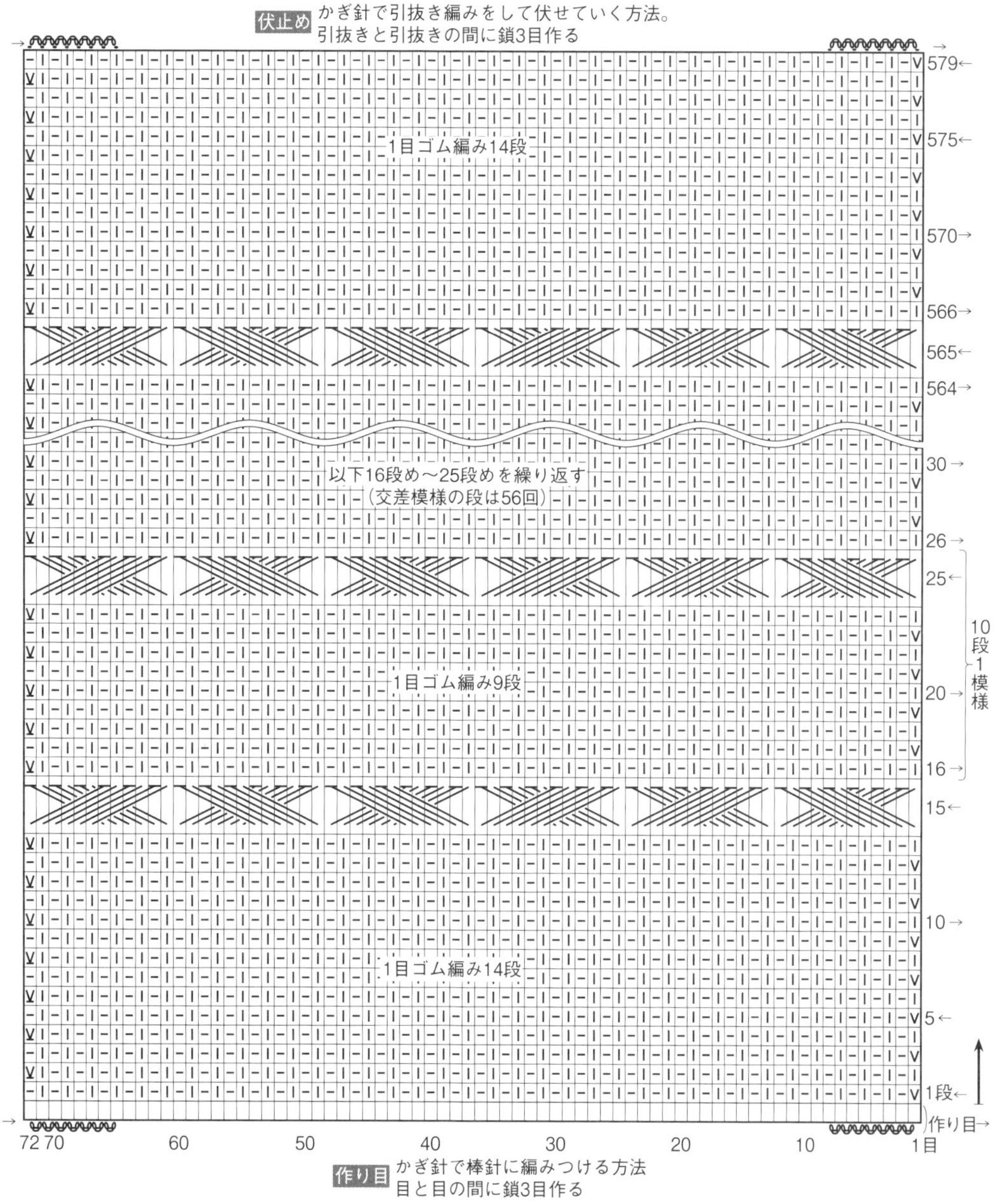

B　表裏に縄編みを編んで　p.4

【材料】ハマナカ　ソノモノ　スラブ《並太》の薄茶（22）130ｇ
【用具】6号、7号棒針、縄編み針
【ゲージ】36目34段が10㎝四方
【でき上り寸法】幅約11㎝、長さ約105㎝
【編み方】

○模様編みの編み方

リバーシブルなので、両面とも表面を編むように編み方図を見ていきます。片方をA面、もう一方をB面とします。

1段め　A面を見て【模様編みA】の1段めを右側から編みます。

2段め　編み地を返して、B面を見て【模様編みB】の2段めを右側から編みます。以後、奇数段はA面を見て【模様編みA】を、偶数段はB面を見て【模様編みB】を、それぞれ編み図の右側から編みます。

○作品の編み方

この作品では、ガーター編み、アラン模様ともに編始めは糸を向う側におく方法で、すべり目にします。別鎖の作り目で32目作り、糸端を編み地幅の4～5倍残して、6号棒針でガーター編みを6段編みます（作り目は段数に入れません）。棒針を7号に替え、目数32目から42目に増やしてアラン模様を編みます。アラン模様を編み終えたら（343段）棒針を6号に替え、目数を42目から32目に減らしてガーター編みを6段編みます。

編終りはB面を見て表編みで伏止めにします。編始めの別鎖をほどき、残しておいた糸で、A面を見て裏編みで伏止めをします。

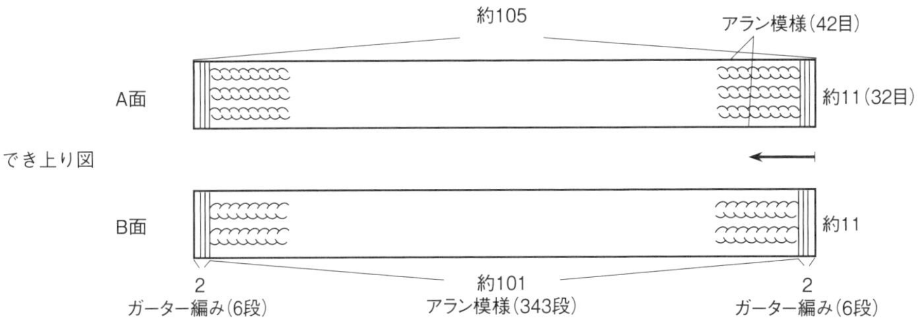

B面　模様編みB(偶数段)

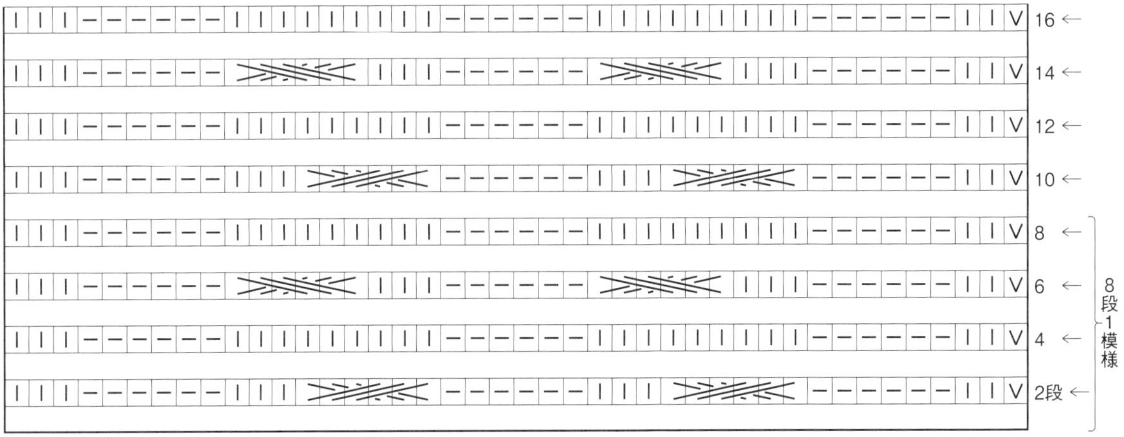

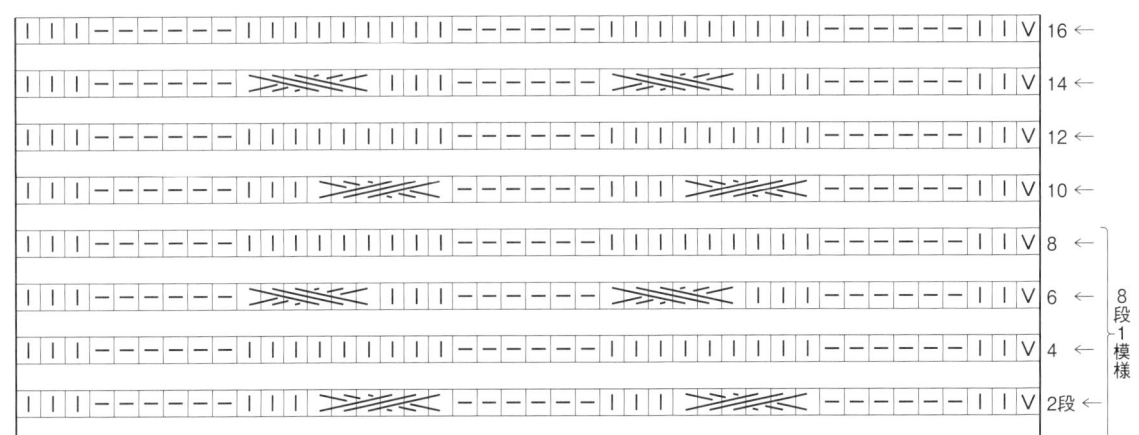

＊アラン模様は1～8段の繰返し
＊編始めと編終わりのガーター編み部分は普通の編み方図の表記
(奇数段も偶数段も一緒に表記してある)
＊アラン模様は、奇数段(A面)を見て編み、編み地をひっくり返し、
偶数段(B面)を見て右から左へ編む

すべり目の編み方
（糸を向う側におく方法）

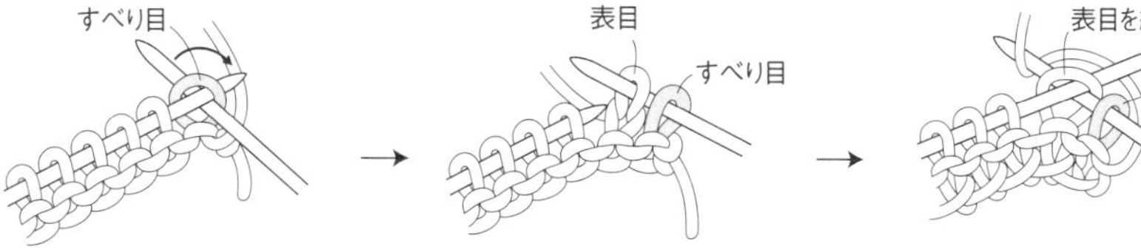

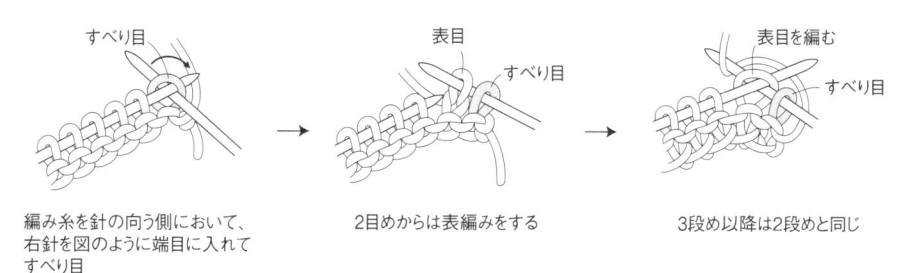

編み糸を針の向う側において、右針を図のように端目に入れてすべり目

2目めからは表編みをする

3段め以降は2段めと同じ

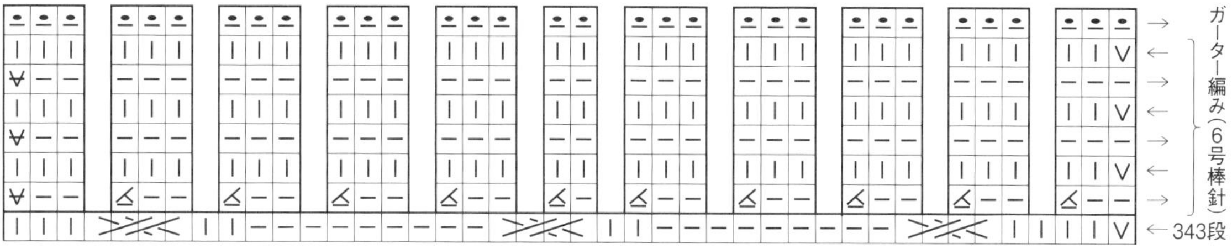

A面 模様編み（奇数段）

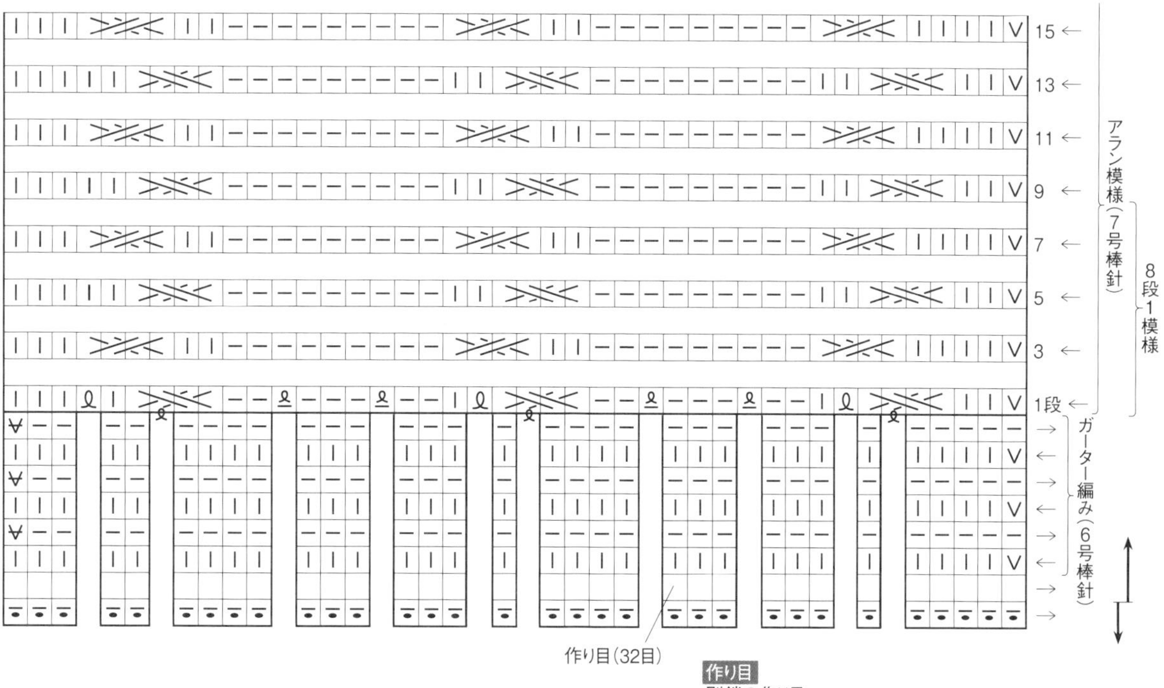

作り目
別鎖の作り目

＊作り目は1段と数えない

別鎖をほどき、A面を見ながら裏編みで伏止めをする

D 同時に編むアラン模様、両面同じ柄でⅠ

p.8

【材料】ハマナカ　オフコース!の生成り(2)140g

【用具】7号棒針、縄編み針2本

【ゲージ】38目26段が10㎝四方

【でき上り寸法】幅約10㎝、長さ約132㎝

【編み方】

○模様編みの編み方

リバーシブルなので、両面とも表面を編むように編み方図を見ていきます。片方をA面、もう一方をB面とします。

1段め　A面を見て【模様編みA】の1段めを右側から編みます。

2段め　編み地を返して、B面を見て【模様編みB】の2段めを右側から編みます。以後、奇数段はA面を見て【模様編みA】を、偶数段はB面を見て【模様編みB】を、それぞれ編み方図の右側から編みます。

○作品の編み方

直接針に作る1目ゴム編みの作り目(p.95参照)で38目作ります。編始め2目は、表目を編むように針を入れてすべり目をします。

1～52段までを1模様とし、模様編みを6回繰り返し、7回めの模様編みは30段め(342段め)まで編み、2目ゴム編み止めをします。

B面　模様編みB(偶数段)

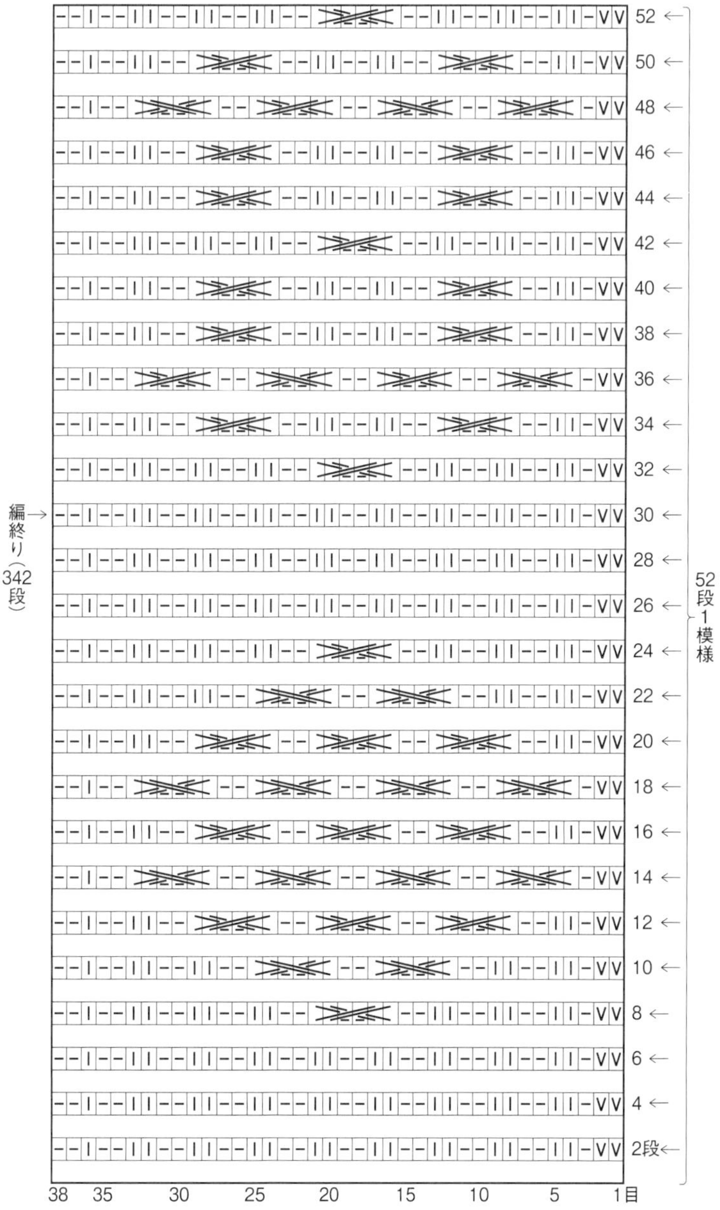

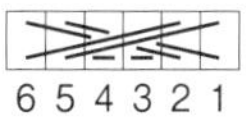

…1･2と3･4の目をそれぞれ別針にとり、5･6を表目で手前に、3･4を裏目でいちばん奥に、1･2を表目でその間になるように編む

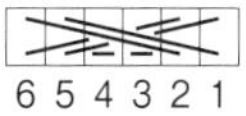

…1･2と3･4の目をそれぞれ別針にとり、5･6を表目で編み、3･4を裏目でいちばん奥に、1･2を表目でいちばん手前に編む

| …表目

− …裏目

A面　模様編みA（奇数段）

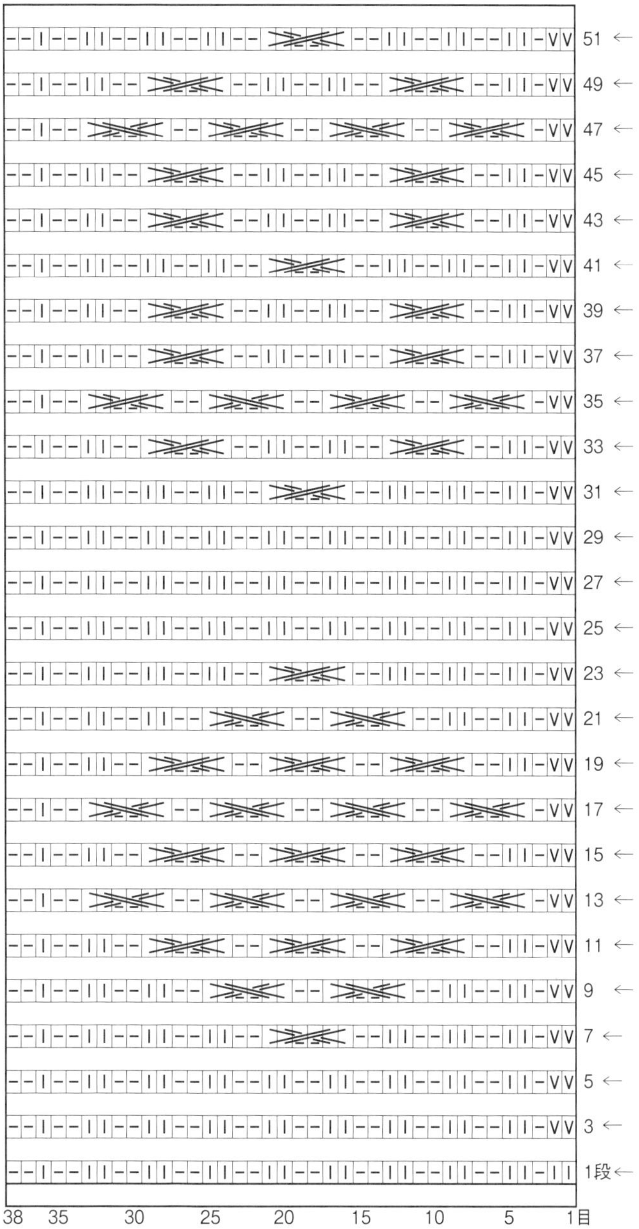

でき上り図

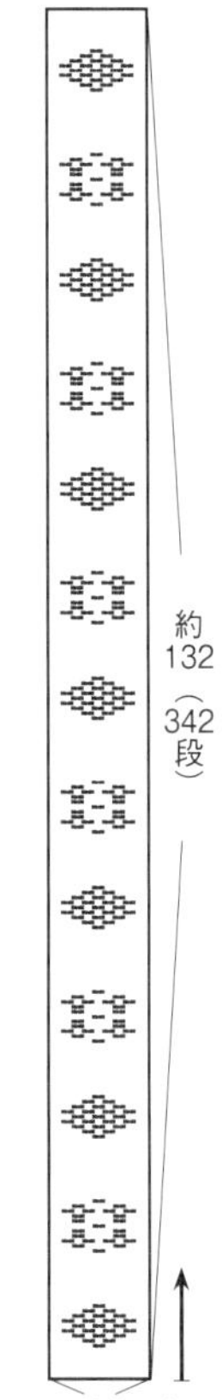

作り目
直接針に作る1目ゴム編みの作り目

ゴム編みの作り目（38目）

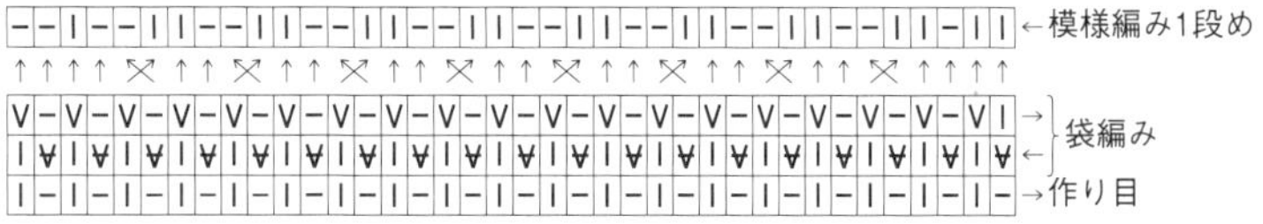

A 同時に編む アラン模様、両面違う柄で

p.2

【材料】ハマナカリッチモア　スターメの淡いピンク（33）170ｇ

【用具】７号棒針、縄編み針２本

【ゲージ】36目28段が10㎝四方

【でき上り寸法】幅約10㎝、長さ約160㎝

【編み方】

○模様編みの編み方

リバーシブルなので、両面とも表面を編むように編み方図を見ていきます。片方をA面、もう一方をB面とします。

１段め　A面を見て【模様編みA】の１段めを右側から編みます。

２段め　編み地を返して、B面を見て【模様編みB】の２段めを右側から編みます。以後、奇数段はA面を見て【模様編みA】を、偶数段はB面を見て【模様編みB】を、それぞれ編み方図の右側から編みます。

○作品の編み方

別鎖の作り目で36目作り、糸端を編み地幅の４〜５倍残して編み始めます。毎段編始めの１目は、表目を編むように針を入れてすべり目をします（p.77参照）。

１〜８段めまでを１模様とし、模様編みを55回繰り返します。最後の模様編みは５段めの模様まで編み、６段め（446段め）で表目は表目に、裏目は裏目に編んで伏止めをします。

作り目の別鎖をほどいて棒針にとり、同様に伏止めをします。

フリンジは２本どりで２目ごとにつけます（18本）。

フリンジの作り方

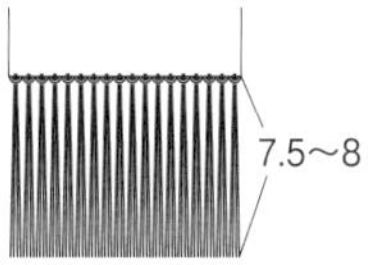

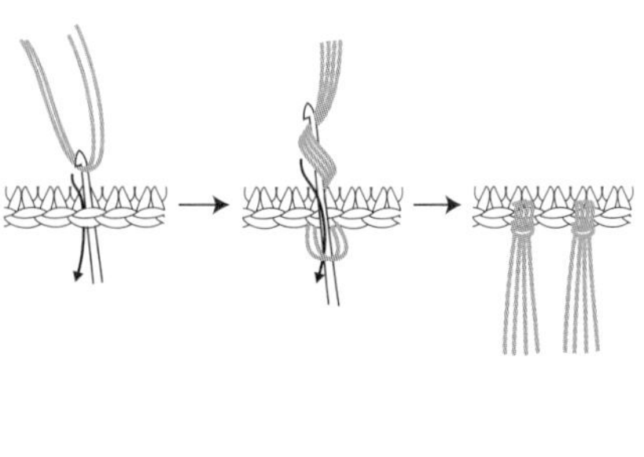

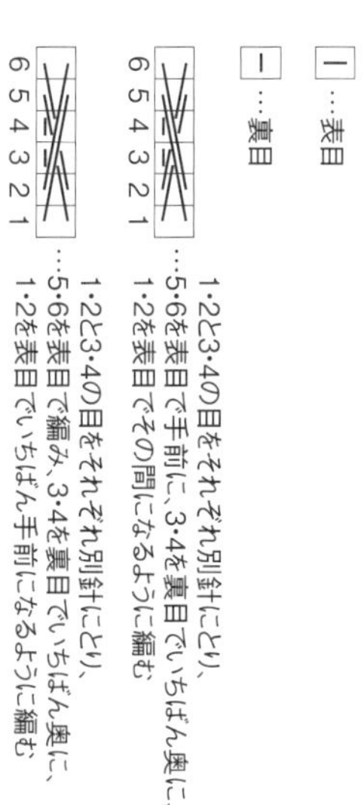

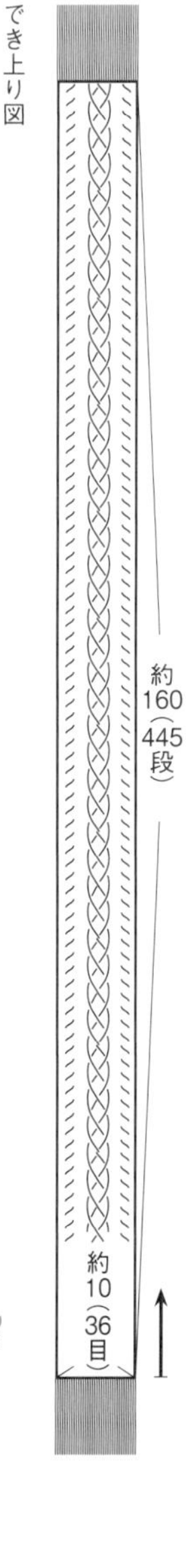

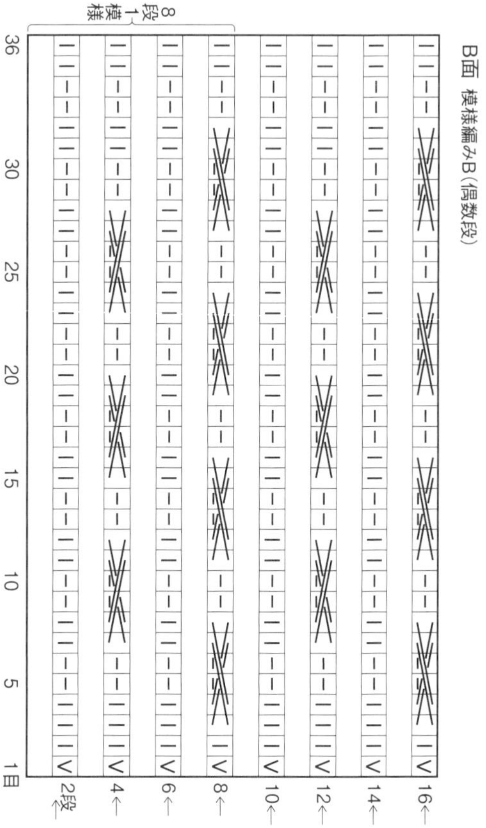

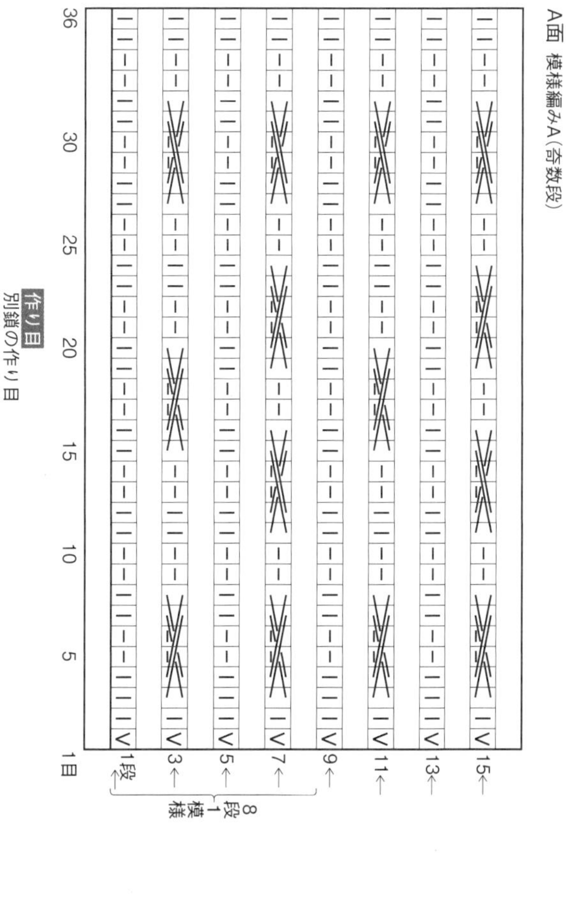

E 同時に編む アラン模様、両面同じ柄でII

p.10

【材料】スウェーデン製オステルヨートランド　オンブレの赤系（01）300g

【用具】4号棒針、縄編み針2本

【ゲージ】57目39段が10cm四方

【でき上り寸法】幅約14cm、長さ約183cm

【編み方】

○模様編みの編み方

リバーシブルなので、両面とも表面を編むように編み方図を見ていきます。片方をA面、もう一方をB面とします。

1段め　A面を見て【模様編みA】の1段めを右側から編みます。

2段め　編み地を返して、B面を見て【模様編みB】の2段めを右側から編みます。以後、奇数段はA面を見て【模様編みA】を、偶数段はB面を見て【模様編みB】を、それぞれ編み方図の右側から編みます。

○作品の編み方

作り目は直接針に作る1目ゴム編みの作り目で80目作り、2目ゴム編みになるようにします（p.95参照）。

A面の図とB面の図を交互に見ながら大きな模様を8回繰り返します。8回めの終りは、689段からの編み方図を見て編んでください。

編始めに交差模様がない段は、編始めの1目のみすべり目です（表目を編むように針を入れる）。

編終りは、2目ゴム編み止めをします。

本作品ではグラデーションの糸を使用しています。糸をつなぐときには、色のつながりに注意してください。

縄編みの編み方

A面　模様編みA

…右上交差

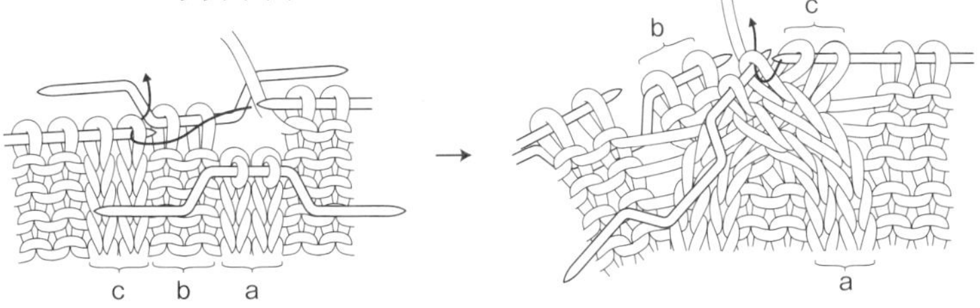

1目めと2目めの表目2目aと3目めと4目めの裏目2目bをそれぞれ別の針にとり、aを手前側、bを向う側におき、次の表目2目cを表編み

手前においたaを表編み。その後、向うにおいたbを裏編み

…左上交差

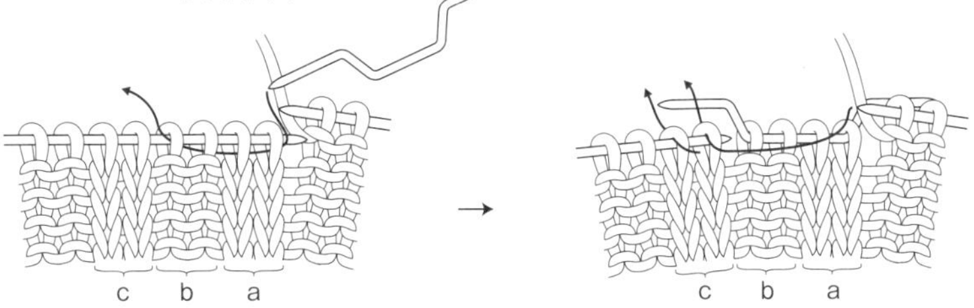

表目2目aと裏目2目bを別の針にとり、向う側におく

表目2目cを表編み。次にaを表編みし、bを裏編みにする

B面　模様編みB

…右上交差

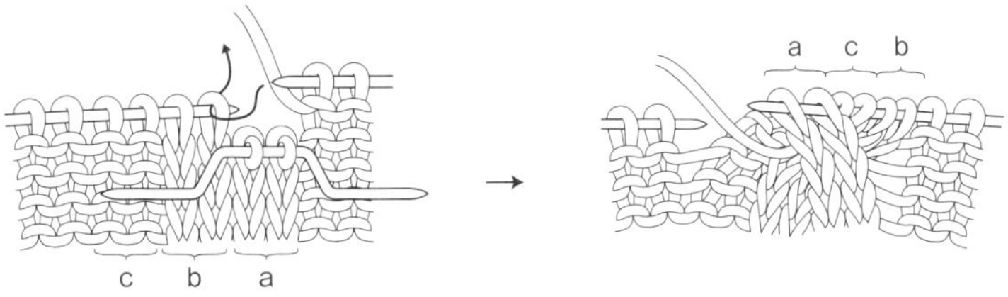

1目めと2目めの表目2目aを別の針にとり、手前側におく。3目めと4目めbを表編み

5目めと6目めの2目cを裏編みしてから、別針にとったaを表編み

…左上交差

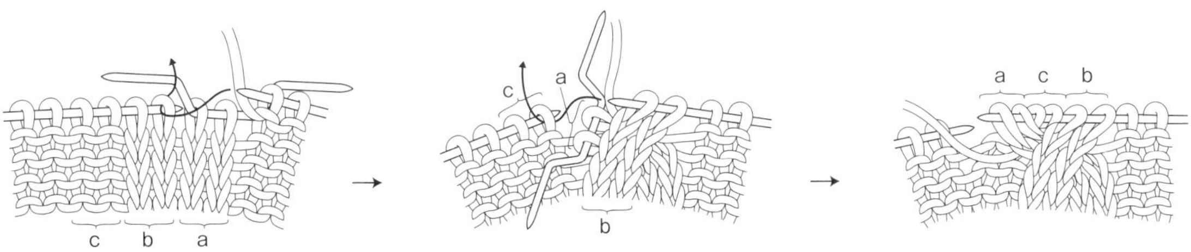

1目めと2目めの2目aを別の針にとり、向う側におく。3目めと4目めの2目bを表編み

別針にとったaを先に編んだ2目bと5目めと6目めの2目cの間を通して左側に寄せておき、cを裏編み

別針にとった2目aを表編み

E

B面 模様編みB（偶数段）

☆に続く（p.58）

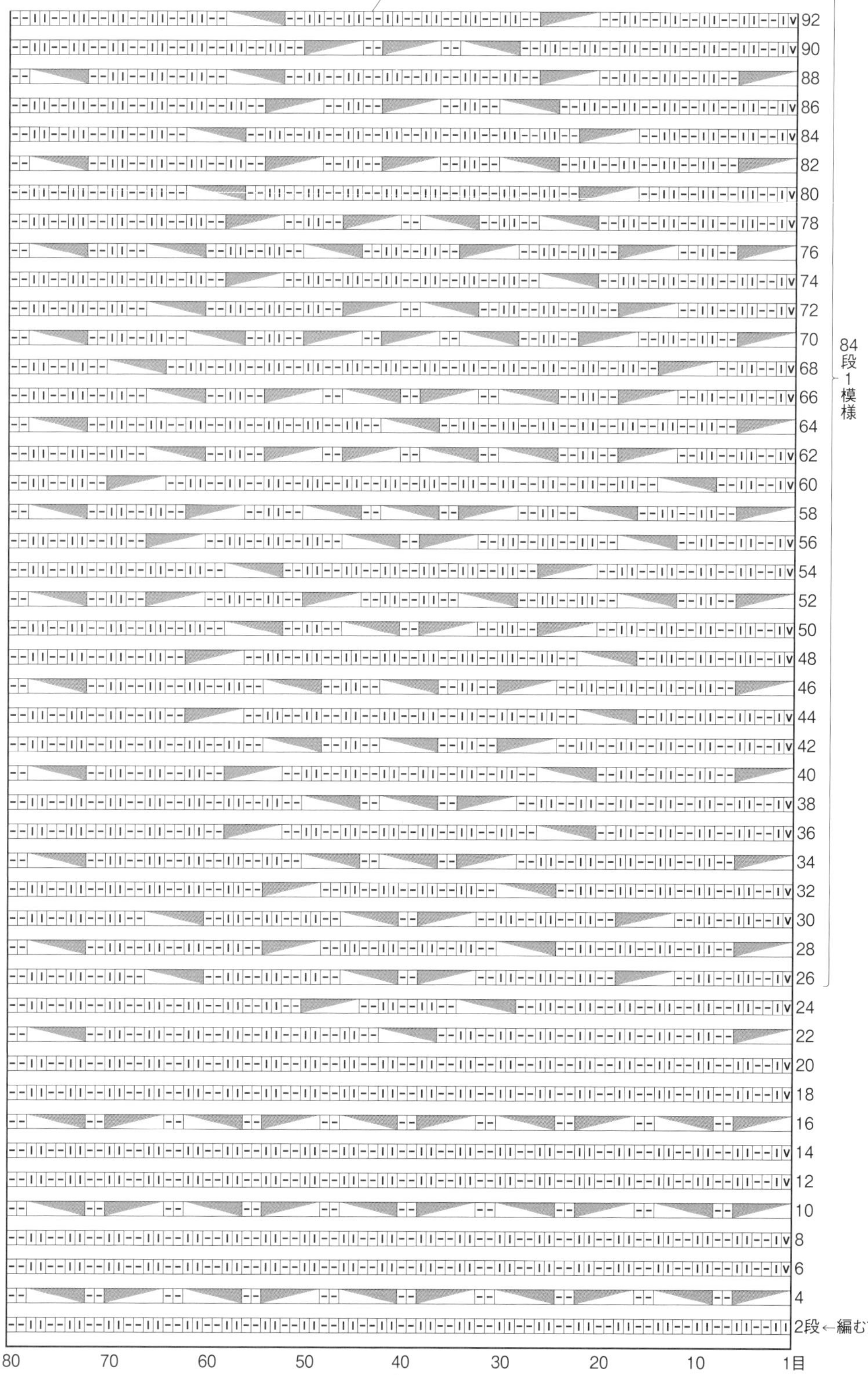

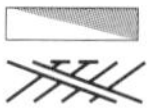
…右上交差

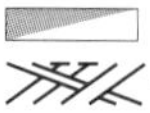
…左上交差

でき上り図

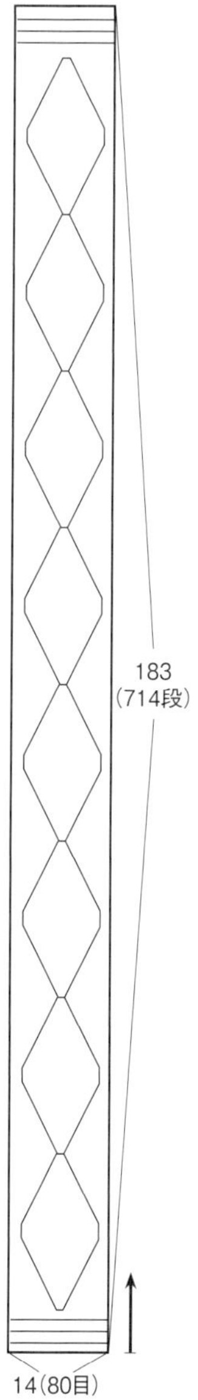

A面　模様編みA（奇数段）

★に続く（p.58）

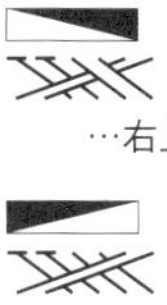

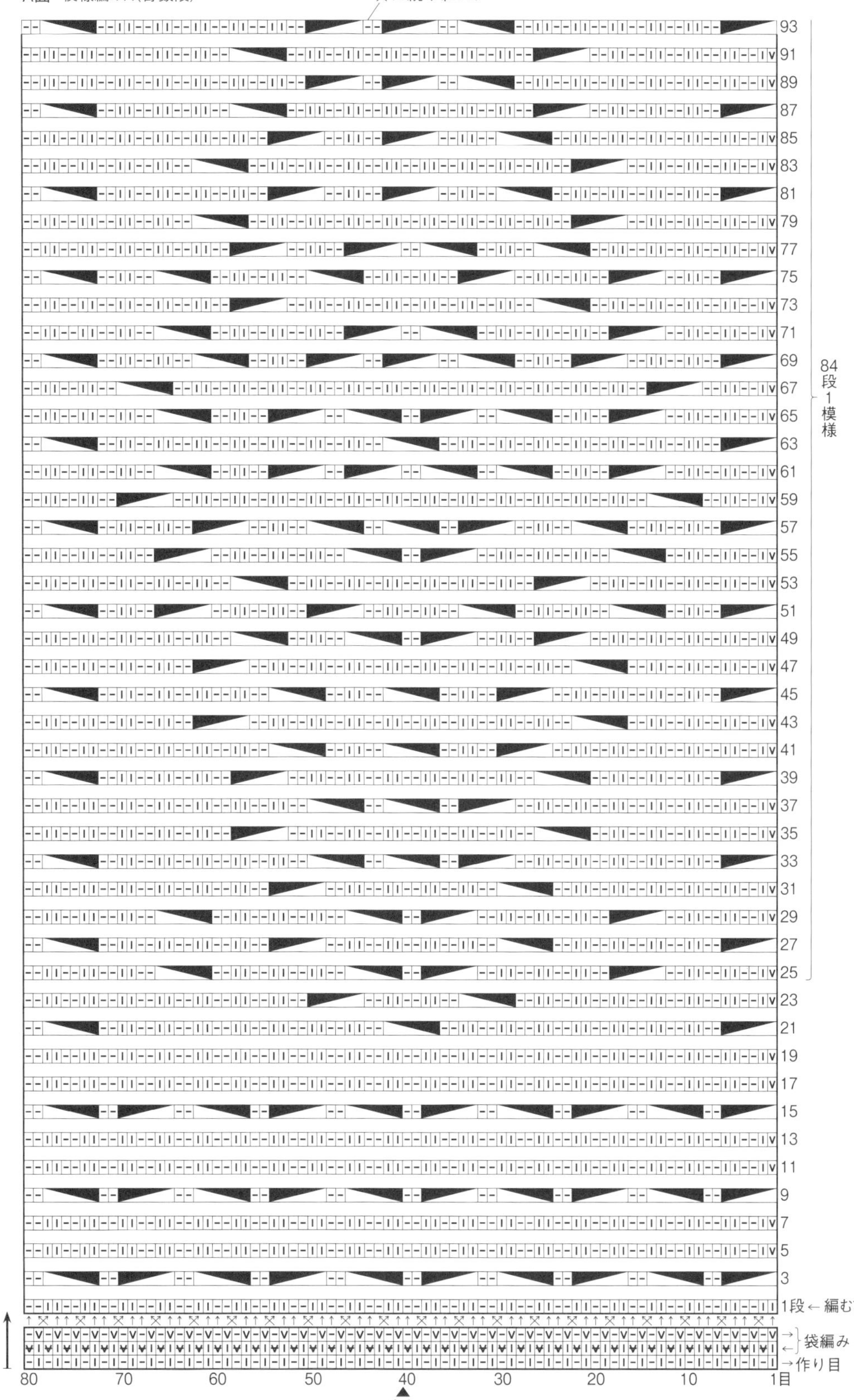

E

…右上交差

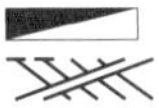
…左上交差

A面 模様編みA(奇数段)

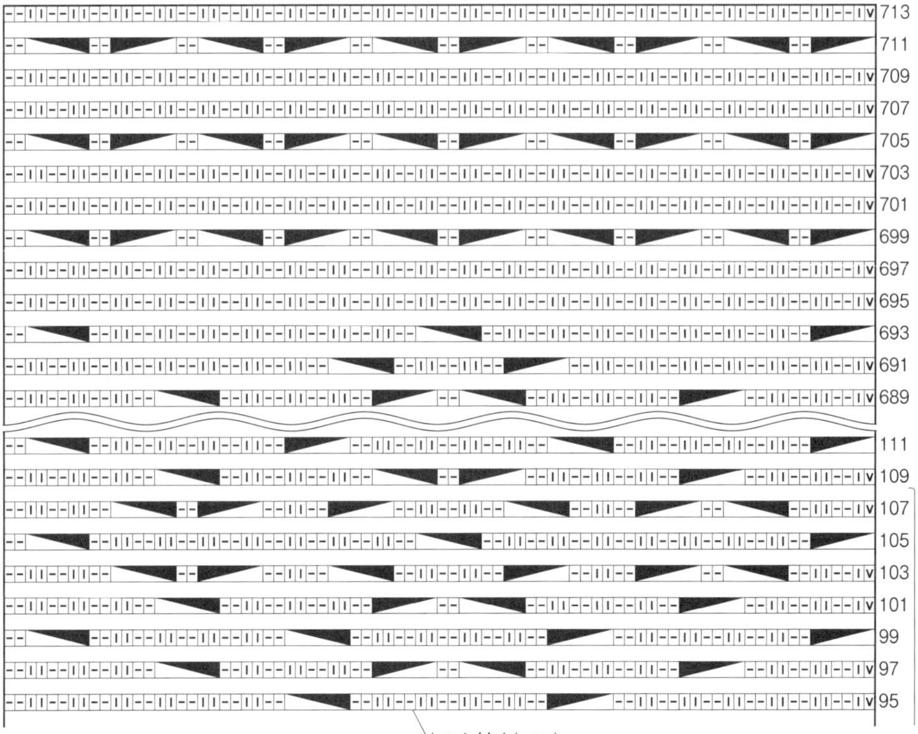

★から続く(p.57)

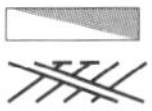
…右上交差

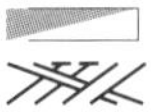
…左上交差

B面 模様編みB(偶数段)

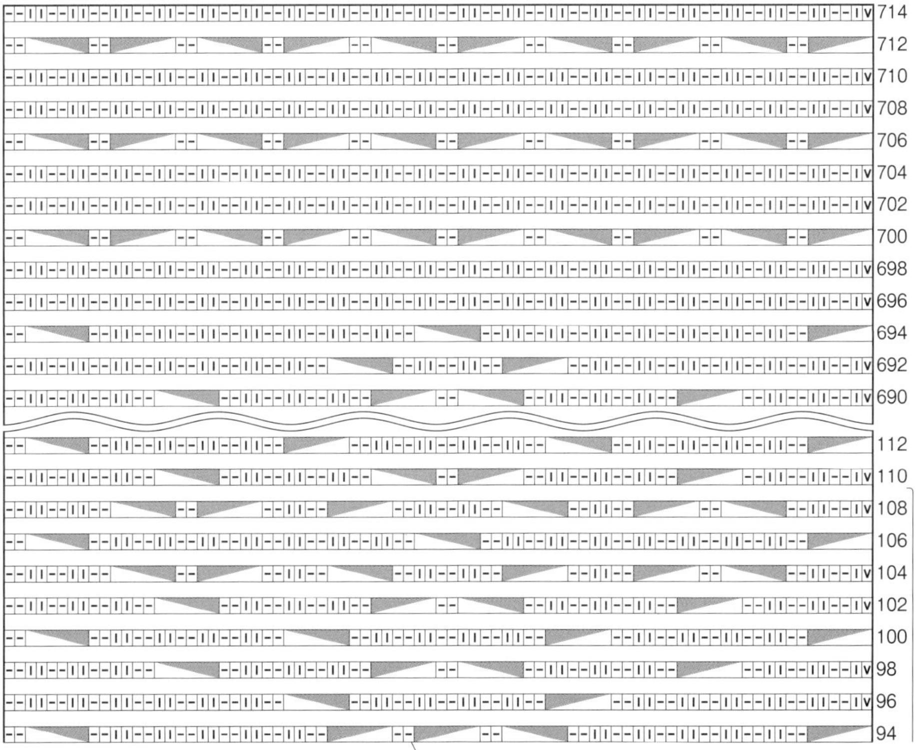

☆から続く(p.56)

T　ギャザーを寄せて

p.38

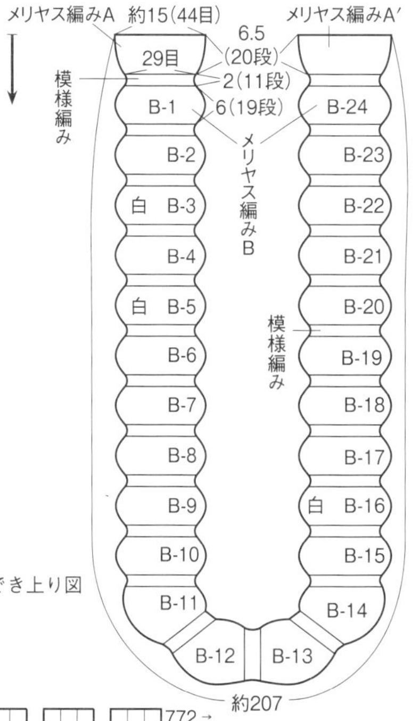

【材料】ホビーラホビーレ　モヘヤポージーの薄オレンジ色(56)150g、白(53)20g
【用具】4号、8号棒針
【ゲージ】メリヤス編み(8号棒針)26目30段が10cm四方
【でき上り寸法】幅約15cm(メリヤス編み部分)、約13cm(模様編み部分)、長さ約207cm
【編み方】
別鎖の作り目で44目作り、糸端を編み地幅の4〜5倍残し、8号棒針でメリヤス編みAを編みます。3段めでねじり増し目をして目数を58目にします。模様編み(4号棒針)とメリヤス編みB(8号棒針)を編みます。
メリヤス編みB部分の3、5、16番めは白色で編みます。最後は、メリヤス編みA'を編み、769段めで2目一度で目数を44目にします。編終りは表を見て巻止めをします。編始めの別鎖をほどき、編終りと同様に巻止めをします。

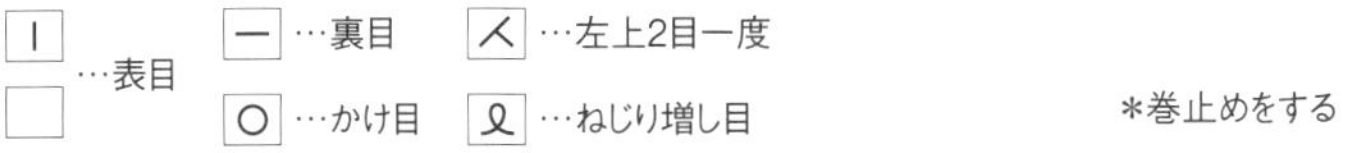

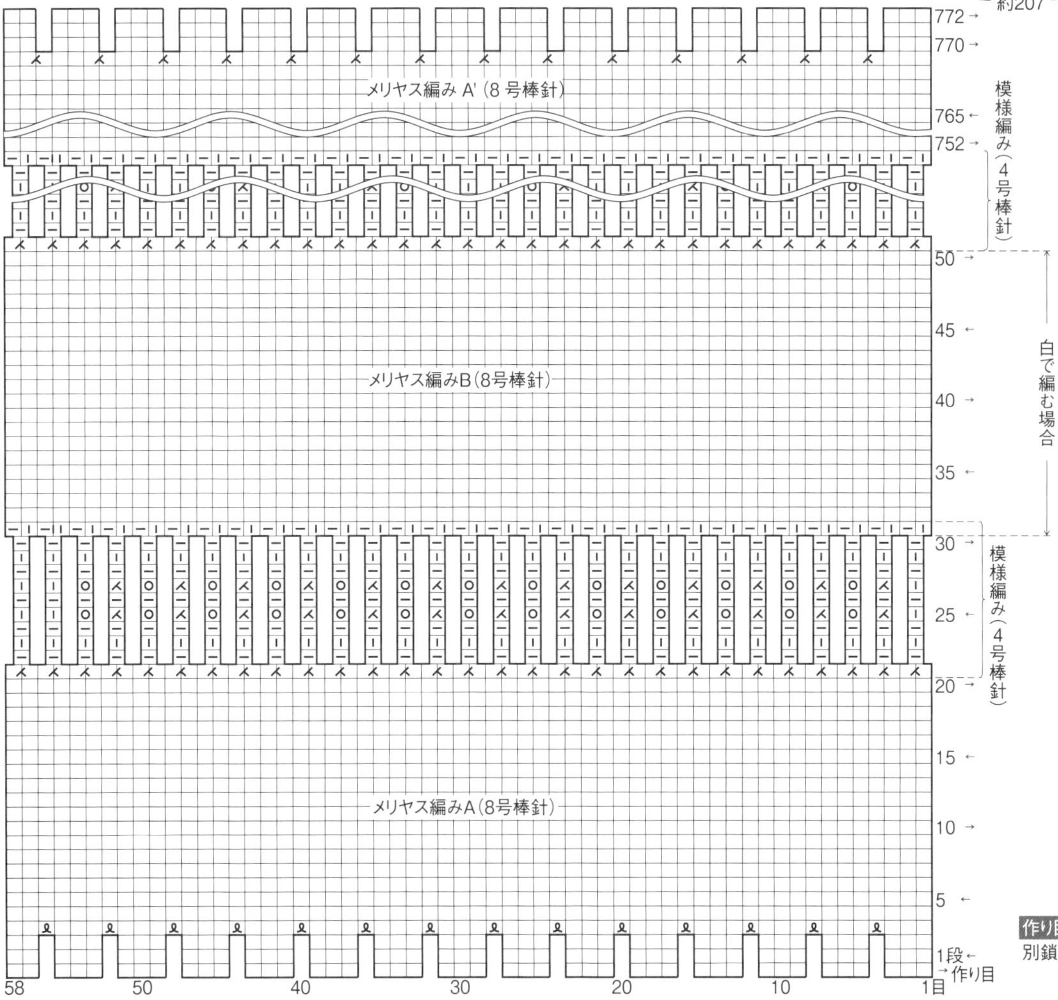

F ジグザグ模様のリバーシブル編み p.12

【材料】シェットランド製フェアアイル毛糸（２プライ・ジャンパー・ウエイト・中細タイプ）のミックス茶（FC 58）、赤（9113）、ミックス緑（FC 12）、ターコイズブルー（FC 34）、赤茶（32）各 30ｇ

【用具】２号棒針

【ゲージ】26目38段が 10㎝四方

【でき上り寸法】幅約 14㎝、長さ約 125㎝

【編み方】

○リバーシブル編みの編み方（基本）

ＡＢ２色の糸を持ち、Ａ面を編むときは、Ａ色で表編み、Ｂ色で裏編みを１目ずつ交互に繰り返します。編み地を返してＢ面を編むときは、Ｂ色で表編み、Ａ色で裏編みを１目ずつ交互に編みます。リバーシブル編みでは、両端の１目ずつを除いて、２色２目を１ペアとして、編んでいきます。

○作品の編み方

1　直接針に作る１目ゴム編みの作り目（p.95参照）で、ミックス茶（以下茶）で裏目から72目作ります（袋編みはしない）。

2　１段めは、赤糸をつけ、最初の１目を茶と赤２色で表目を編み、２目めからは茶で表目、赤で裏目のリバーシブル編みをします。７目ごとに表目、裏目の色を変えます（p.61参照）。最後の１目は２色で表編み。１段めのみ、両端の目は２本（２色）で表目にします。

3　２段めは、最初の１目は２色ですべり目、２目めからは赤で表目、茶で裏目のリバーシブル編みで始め、最後の目は、２色で表目。

4　３段めは、１段めと同じに編みます。以後両面繰り返します。ただし端は両面とも編始めは２色ですべり目、編終りは、２色で表目。

5　両端の増し目、減し目は編み方図のとおり、端の目の１目内側の目を両面同じ表情になるように操作します。

糸替えも同様に、１目め２色ですべり目した次の目（♥印）で糸を切って行ない（p.97参照）、糸端は編み地の中に入れ込んで始末します。

6　編み地に変化を持たせるため、途中、好きなところでガーター編みを入れて編みます。

7　最終段まで編んだら、２本の棒針にＡ面とＢ面に目を取り分け、片面のみ、前段のミックス緑で１段メリヤス編みをしてから、同じ糸でＡ面とＢ面をメリヤスはぎにします。

両端の編み進め方（すべり目、増し目、減し目）
＊針にかかった状態を図にしてあります

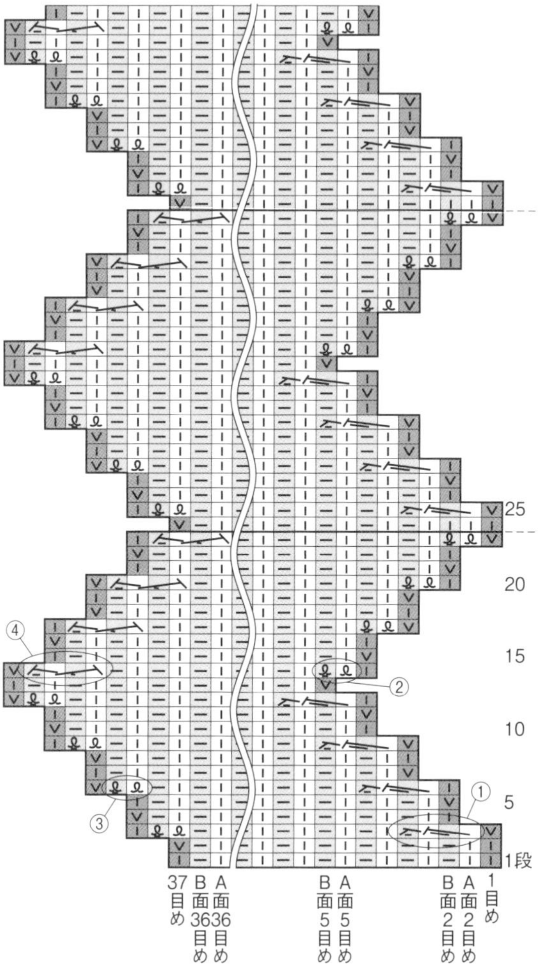

でき上り図

□…A面に出る糸1本で編む

□…B面に出る糸1本で編む

■…2本どりで編む

拡大図

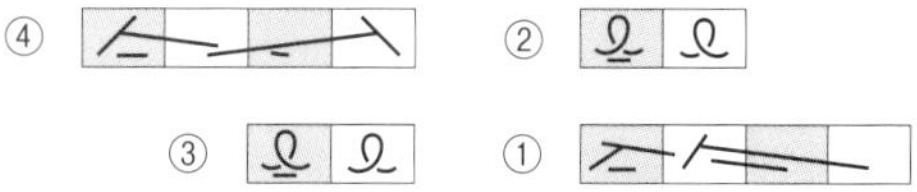

…ねじり増し目

ガーター編みの場合

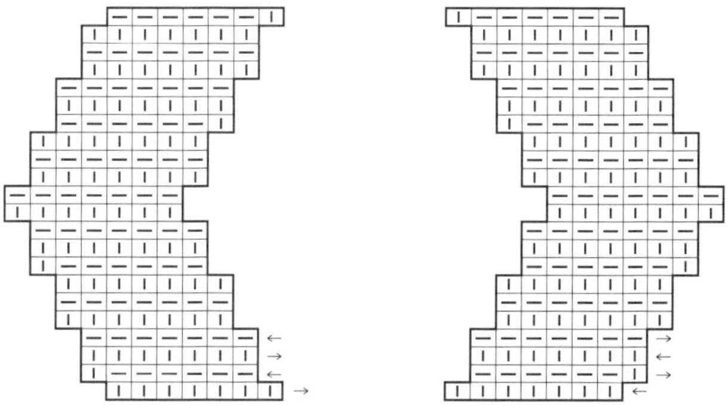

配色図

- ■ …ミックス茶
- □ …赤
- ⬚ …ミックス緑
- □ …ターコイズブルー
- ■ …赤茶

♥ …色替えの目

B面（編み目記号省略）

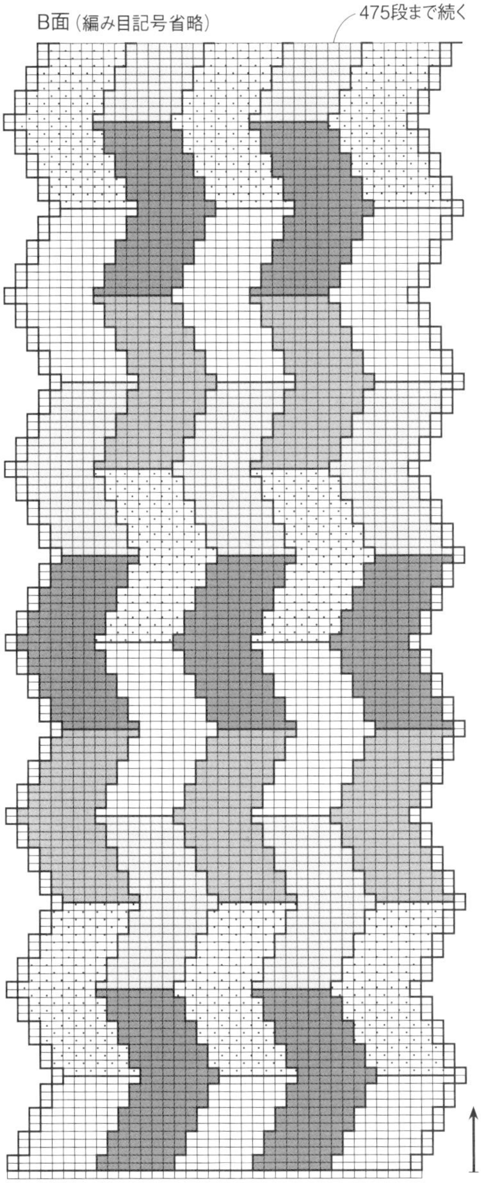

作り目

直接針に作る

1目ゴム編みの作り目

A面

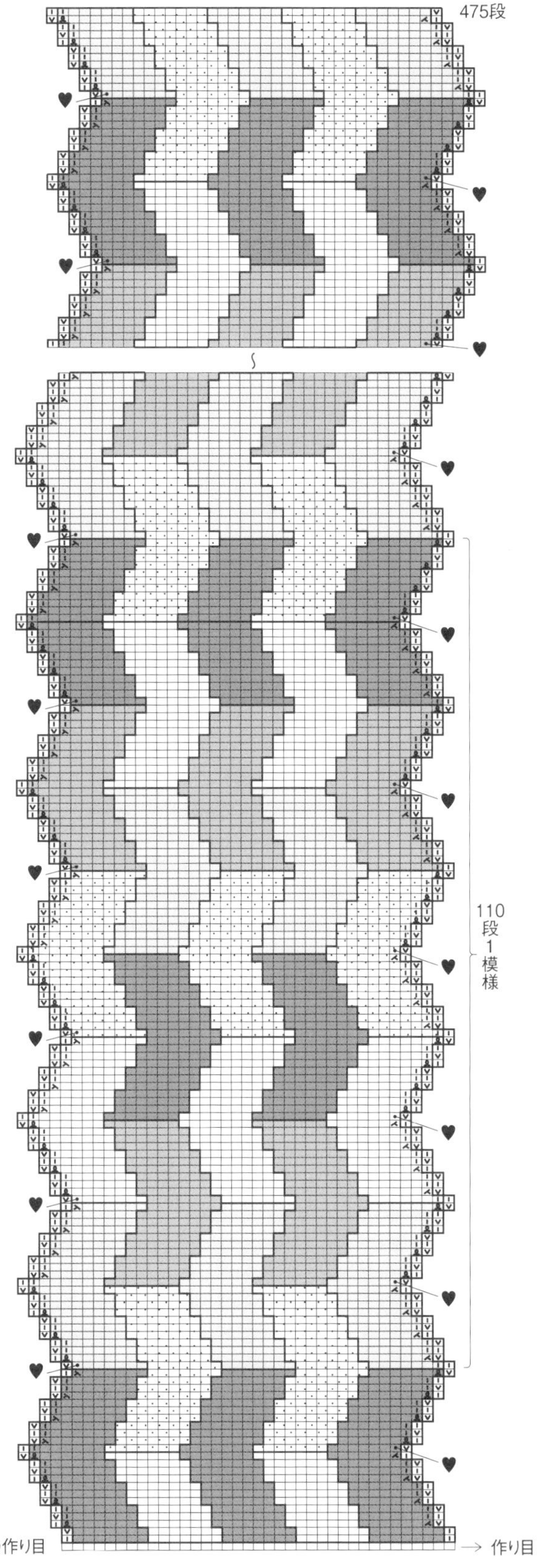

G ハウス柄リバーシブル編み、3色づかい

【材料】シェットランド製フェアアイル毛糸（2プライ・ジャンパー・ウエイト・中細タイプ）の白（2001）、茶色（2004）各70g、生成り（2006）、薄いベージュ（2002）、濃いベージュ（2007）各10g

【用具】2号棒針

【ゲージ】26目35段が10cm四方

【でき上り寸法】幅約14cm、長さ約129cm

【編み方】

○リバーシブル編みの編み方（基本）

ＡＢ２色の糸を持ち、Ａ面を編むときは、Ａ色で表編み、Ｂ色で裏編みを１目ずつ交互に繰り返します。編み地を返してＢ面を編むときは、Ｂ色で表編み、Ａ色で裏編みを１目ずつ交互に編みます。リバーシブル編みでは、両端の３目ずつを除いて、２色２目を１ペアとして、編んでいきます。

○作品の編み方

1　指で針にかける作り目で、①と⑤の２色を２本どりで36目作り目をします（実際には、２本どりなので全部で72目針にかかっています）。

2　編み地を返して、毎段右端１目分（1目×２）はすべり目して２本どりでガーター編みを４段編みます。すべり目は編み糸を手前におき、端目をそのまま右針に移す方法です（p.68参照）。

3　５段めから、両端３目（3目×２）は２本どりでガーター編み、内側30目（30目×２）をハウス柄の編み方図に従ってリバーシブル編みにします。Ａ面を見ながら、５段めのリバーシブル編みは、①白（表目）⑤茶（裏目）、①白（表目）⑤茶（裏目）、⑤茶（表目）①白（裏目）、⑤茶（表目）①白（裏目）と編んでいきます。４段めと５段めは同じ色になるように、４段めの２本どりのうち、同じ色の目を選んで編みます。これから編もうとする糸が、左針にもし逆にかかっている場合は、並び順を入れ替えてから編むようにします。

4　10段めは右端ガーター編みを終えたところで、①⑤の糸を②④につけ替え、④表目②裏目のリバーシブル編みをします。糸端は編み地の中をくぐらせて始末します。糸始末はすべてこの要領です。

5　11段め、右端ガーター編みをしたところで、③をつけ加え、②③④の３色で、Ａ面から見て②（表目）④（裏目）、③（表目）③（裏目）、②（表目）④（裏目）、③（表目）③（裏目）とリバーシブル編みをします。左端のガーター編みに入るところで②④の糸を切り、③をもう１本つけ加えます。

6　③２本どりで、端のガーター編みを編んで、12段めは③２本でリバーシブル編みをします。

7　13段め、③２本どりで右端ガーター編みをしたら、③の１本を切り、②④をつけ加えます。

B面

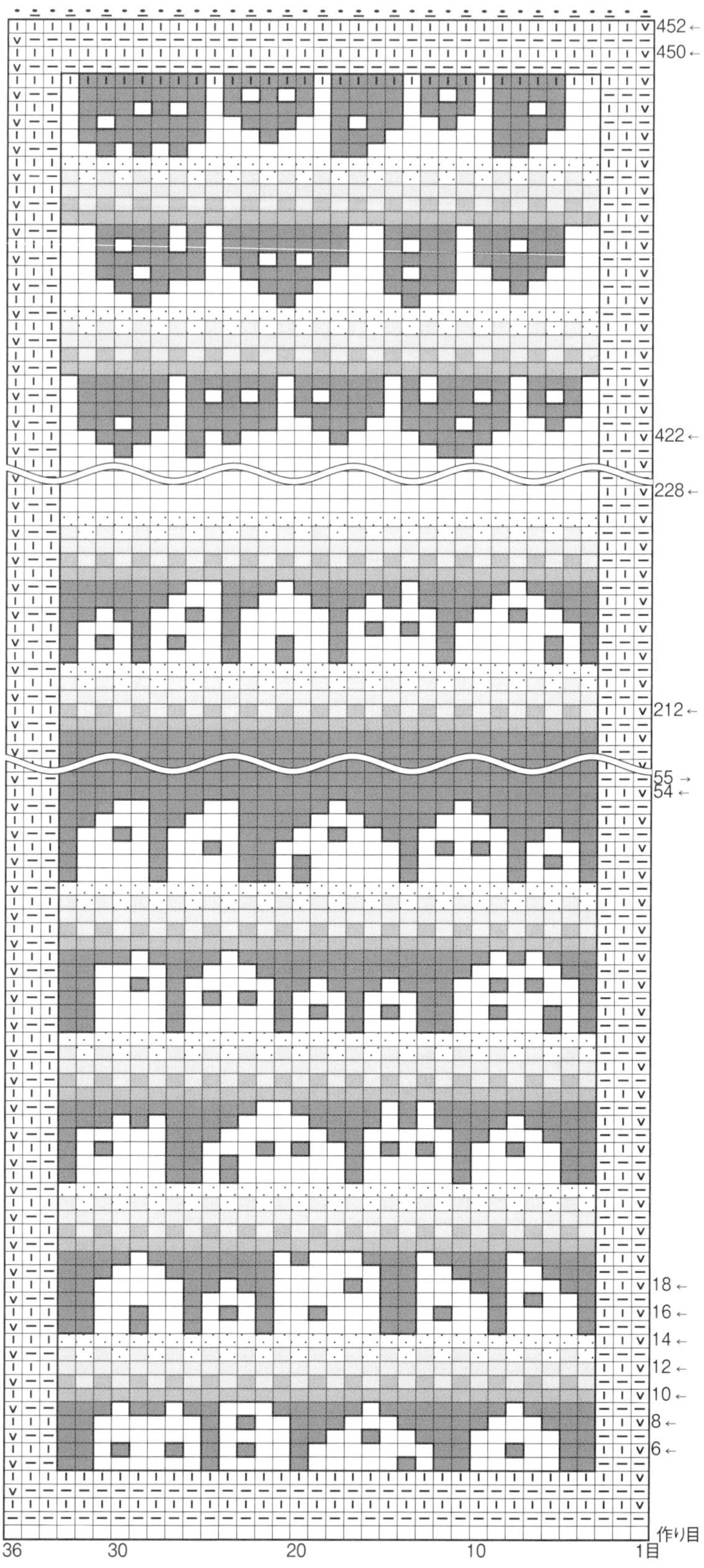

p.14

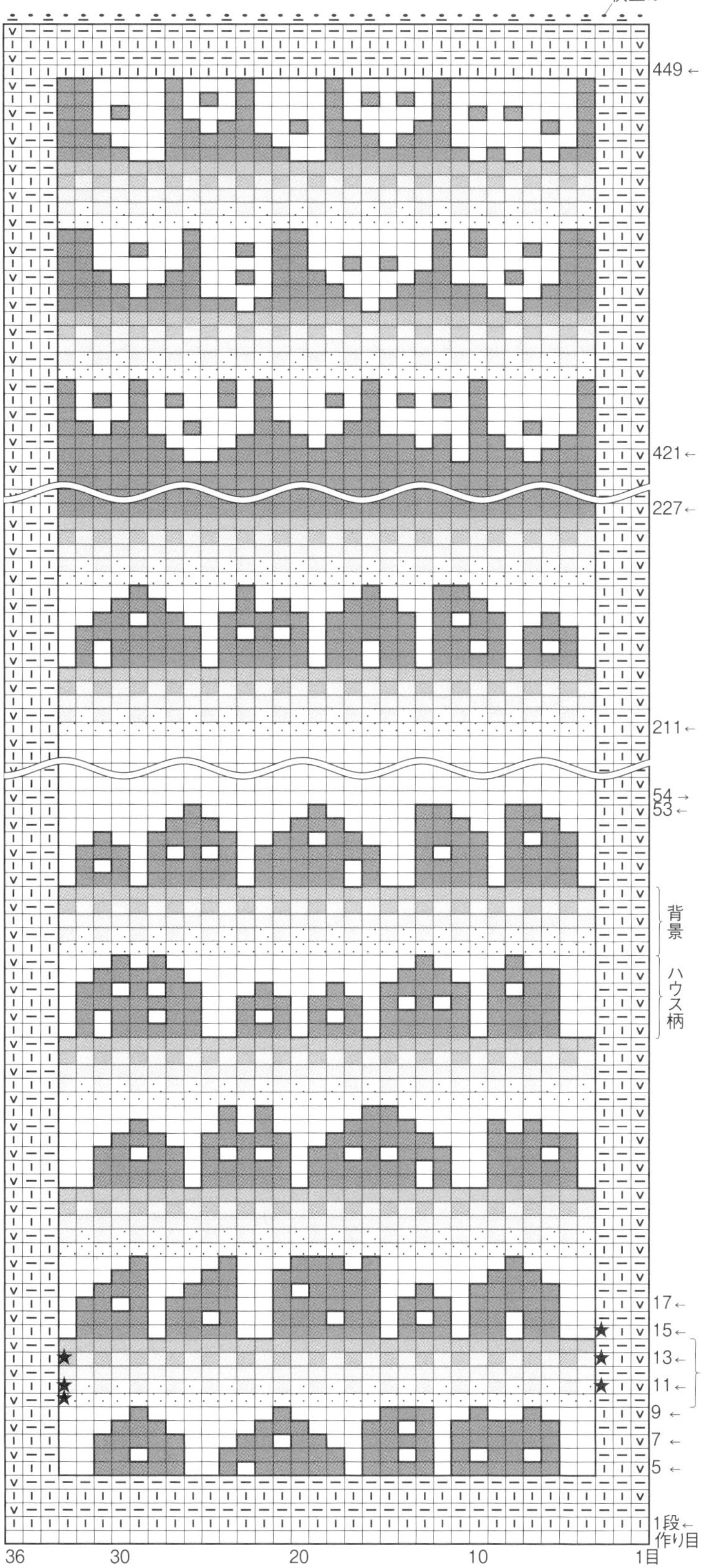

3色で③(表目)③(裏目)、④(表目)②(裏目)、③(表目)③(裏目)、④(表目)②(裏目)とリバーシブル編みをし、左端ガーター編みの手前で③の糸を切ります。

8　14段め、②(表目)④(裏目)となるようにリバーシブル編みをします。

9　15段め、右端ガーター編みをしたところで、②④の糸を①⑤につけ替え、ハウス柄を編みます。上記と同じ手順で、53段めまでハウス柄と背景を編みます。

10　54段めから210段めまではA面①B面⑤となるようにリバーシブル編みをします。

11　211段めから226段めまでは、ハウス柄と背景を入れ、227段めから420段めまでA面⑤B面①となるように編みます。

12　421段めから編み方図に従ってハウス柄と背景を編みます。ハウスの向きは逆ですが、手順は上記と同じ方法です。

13　449段めから4段ガーター編みをしたら、①⑤2本どりで表、裏、表、裏の伏止めをします。

□…2001① 白
□…2006② 生成り
□…2002③ 薄いベージュ
□…2007④ 濃いベージュ
□…2004⑤ 茶色

作り目
指で針にかける作り目(2本どり)

背景の色の変え方（断面）

★…糸を替える位置

でき上り図

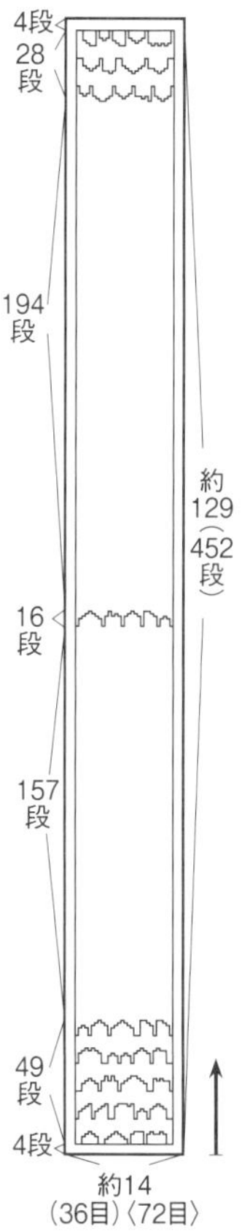

H リバーシブル編みのアラン模様、アイコードつき

【材料】ハマナカリッチモア　カシミヤメリノの茶色（4）、モスグリーン（21）各220g

【用具】8号棒針、短めの両端のとがった8号棒針3本（アイコード用）、縄編み針2本

【ゲージ】25目24段が10cm四方

【でき上り寸法】幅約14cm、長さ約175cm（縁編み分を除く。縁編み分を含むと幅約17.5cm、長さ約178.5cm）

【編み方】

○リバーシブル編みの編み方

ＡＢ2色の糸を持ち、Ａ面を編むときは、Ａ色で表編み、Ｂ色で裏編みを1目ずつ交互に繰り返します。編み地を返してＢ面を編むときは、Ｂ色で表編み、Ａ色で裏編みを1目ずつ交互に編みます。リバーシブル編みでは、両端の1目ずつを除いて、2色2目を1ペアとして、編んでいきます。

＊模様編みの編み方、アイコードの編み方はp.98を参照してください。

○作品の編み方

1　指で針にかける作り目を2本どりで36目（36目×2）作ります。

2　1段めから右端1目（実際は1目×2）はすべり目をし、編み方図に従って茶色、モスグリーンの配色の並びに気をつけてリバーシブル編みをします。1段めは、作り目が1目2色になっているので、編む糸と同じ色の目を選んで編みます。逆になっている場合は入れ替えて編みます。

3　3段め以降、編み方図のアラン模様の編み方に従って418段まで編みます。

4　編終りは左針にかかっている茶色、モスグリーン1目ずつ2目に右針を入れ、2本どりで表目、裏目、表目、裏目と編んで伏止めします。この際、編み地が横に広がっていることがあるので、針の号数を変えるなどして、きつめに伏止めします。

5　2色のアイコードのねじり縁飾りをつけます。

●…茶色
○…モスグリーン
アイコードつけ位置

A面 …2本どり …茶色 …モスグリーン
B面 …2本どり …モスグリーン …茶色

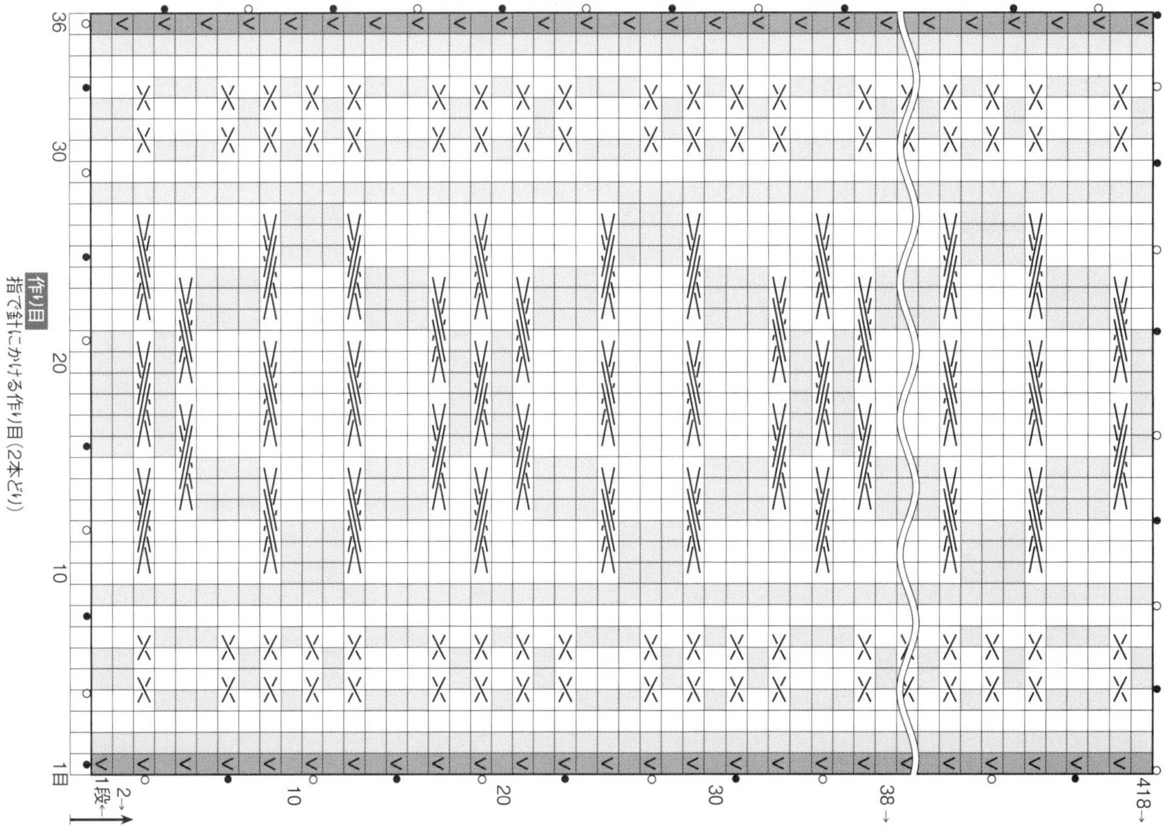

M　かのこ編みにくりくりカールしたフリンジ

p.26

【材料】ハマナカリッチモア　キャメルツイードのカーキ色（5）300g

【用具】3号棒針2本、7号棒針1本

【ゲージ】かのこ編み22目44段が10㎝四方

【でき上り寸法】幅約14㎝、長さ約90㎝（フリンジ分除く）

【編み方】

糸はすべて2本どりで編みます。

1　別鎖の作り目の方法で31目作ります。

2　1段めは、表編み、裏編み…とかのこ編みを編みます。

3　編み地をひっくり返し、編始めにフリンジを編み（p.100参照）、31目かのこ編みをします。

4　3を繰り返します。毎段、両サイドにフリンジを編みますが、作り目は10〜22目で適宜、だんだん目数を増やしたり、減らしたりしていきます。

5　395段編んで、最後のかのこ編み31目と最初の作り目（別鎖をほどいて針に目を通す）にフリンジを編みます（p.100参照）。

＊この作品のフリンジの部分のくりくり感は、編む人の手加減によって出方が違ってきます。作り目をきつく、伏止めをゆるくすることで、くりくりするようにしてあります。針の号数、編み方など工夫してください。また、糸によっても違ってくるので、注意してください。

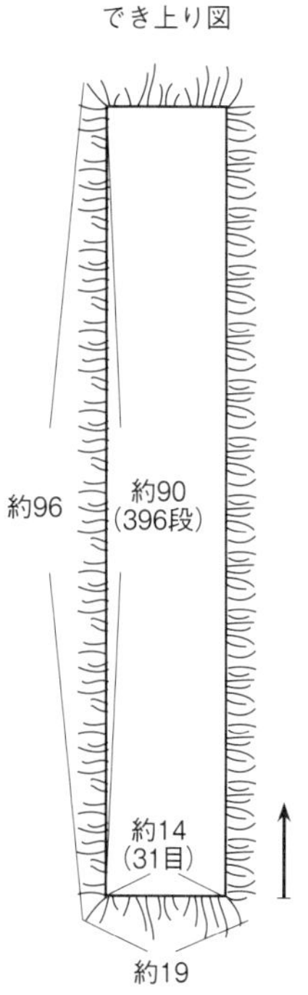

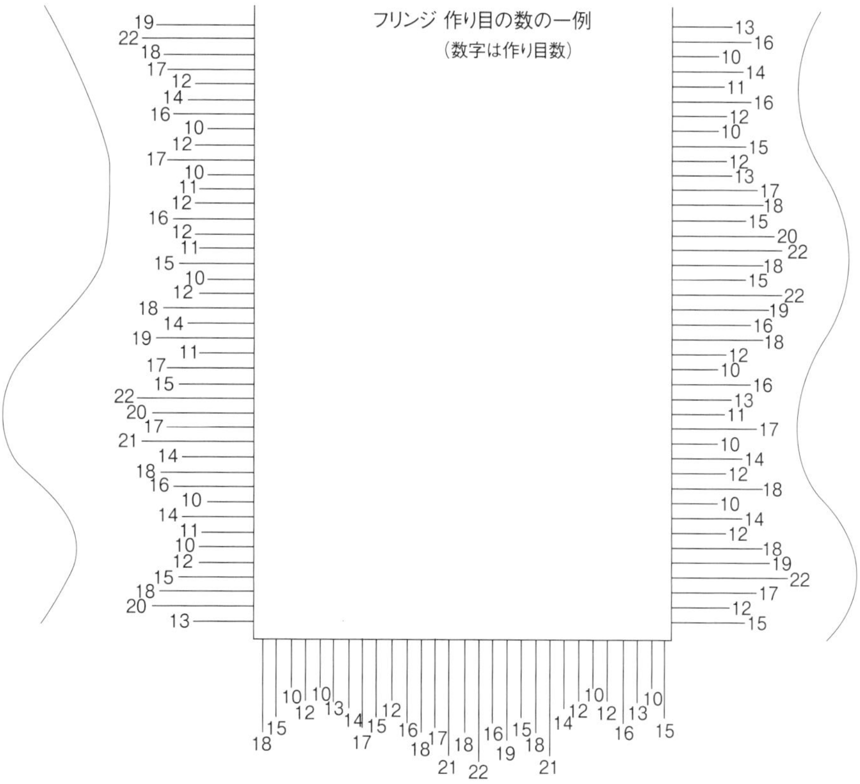

＊かのこ編み、フリンジの作り目…3号棒針
フリンジの伏せ目…7号棒針

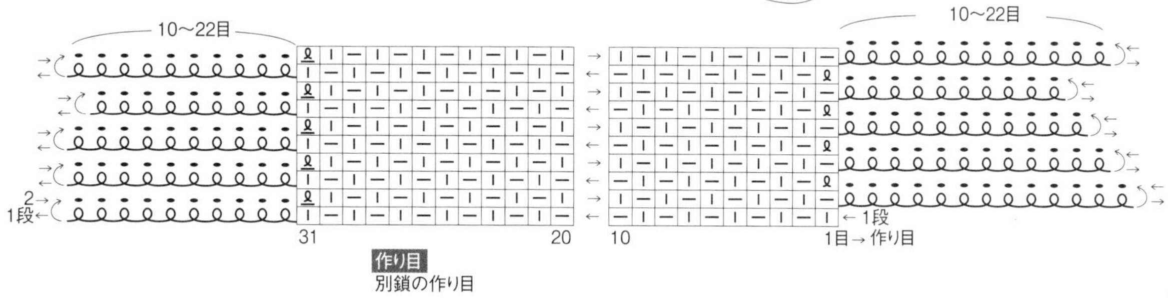

【材料】ハマナカ　純毛中細の薄ピンク（31）120g、MIYUKIグラスビーズ丸大のグレー（21）　3073個
【用具】0号棒針、ビーズ針（必要に応じてビーズを通すときに使う）
【ゲージ】44目86段が10㎝四方
【でき上り寸法】幅約12㎝、長さ約129㎝

【編み方】
○ビーズ編み
初めに毛糸にビーズを通しておきます。ビーズを一度にたくさん通しすぎると、ビーズを送り込んでいるうちに糸が傷むこともあるので、200～400個を目安に通しておきます。模様を作っている途中でビーズがなくなってきたら、段のキリのいいところで、いったん糸を切り、またビーズを通して続きを編んでいきます。
奇数段を編むときは、A面図を、偶数段を編むときはB面図を見て編みます。それぞれ図の右側から編みます。ビーズの印のある目を編むとき、ビーズを1個寄せて1

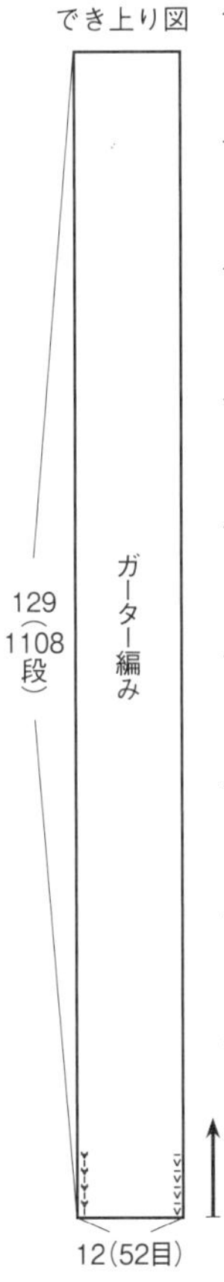

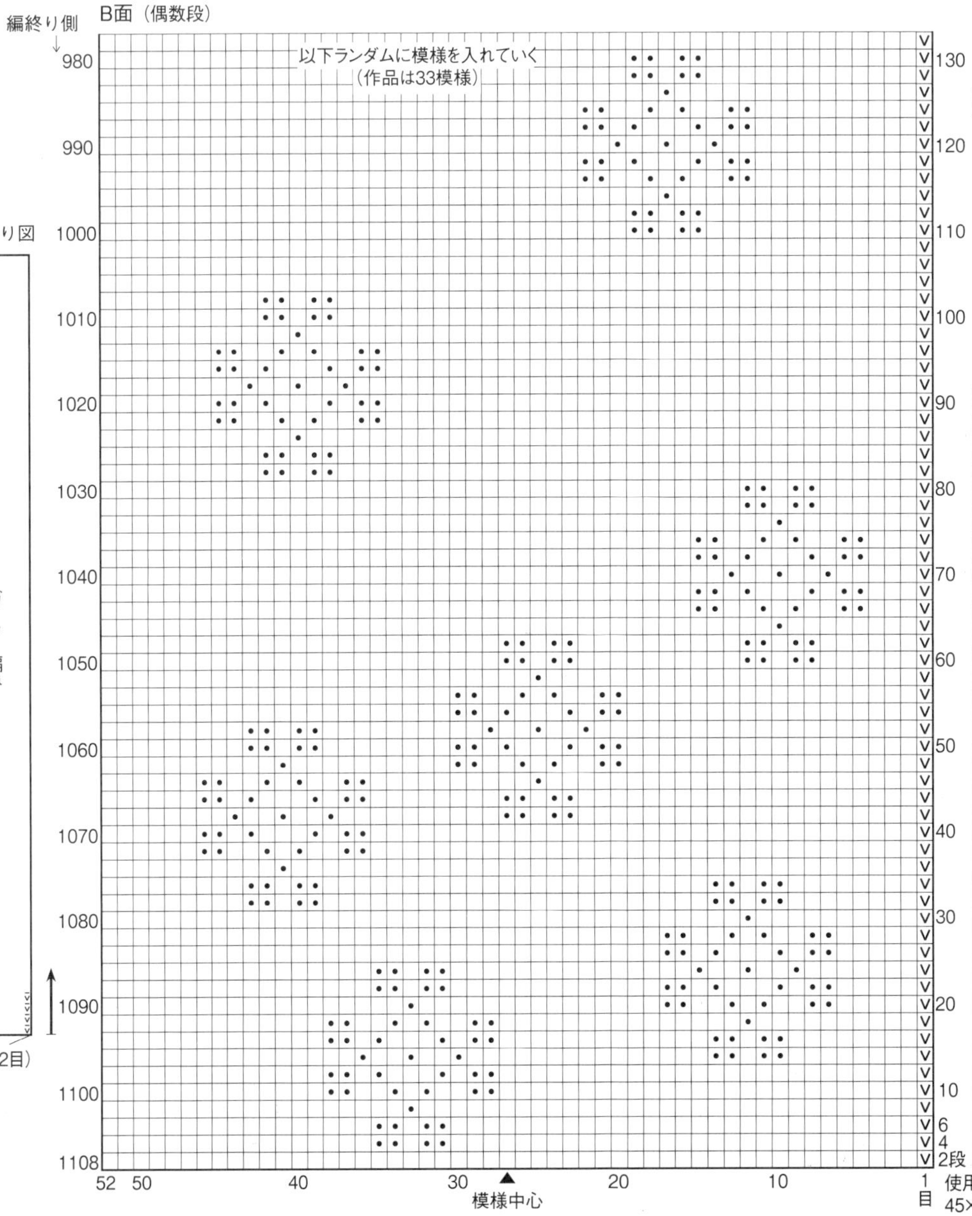

目編みます。ビーズは目と目の間に入るので、図では模様の中心が半目左にずれていますが、編むと模様はきちんと中央におさまります。
ビーズを入れている目はゆるみやすいので、特に注意して編みましょう。

○作品の編み方

別鎖を使う作り目で52目作ります。糸端を伏せ目用に編み幅の4～5倍残しておいて編み始めます。
基本はガーター編みです。両面とも各段、編始めはすべり目です（表目を編むように針を入れる方法。p.77参照）。

A面は1011段めから模様が再び始まります。B面はランダムなので自由ですが、図と対称的に終わるなら980段めから図を逆に編み進め、編終りは伏止めにします。編始めも作り目の鎖をほどき、表目で伏止めします。

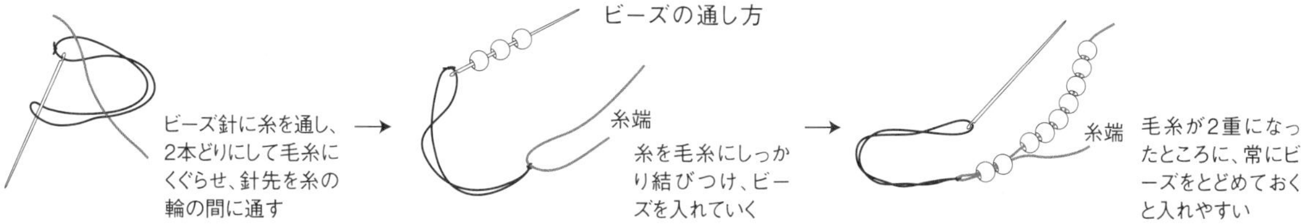

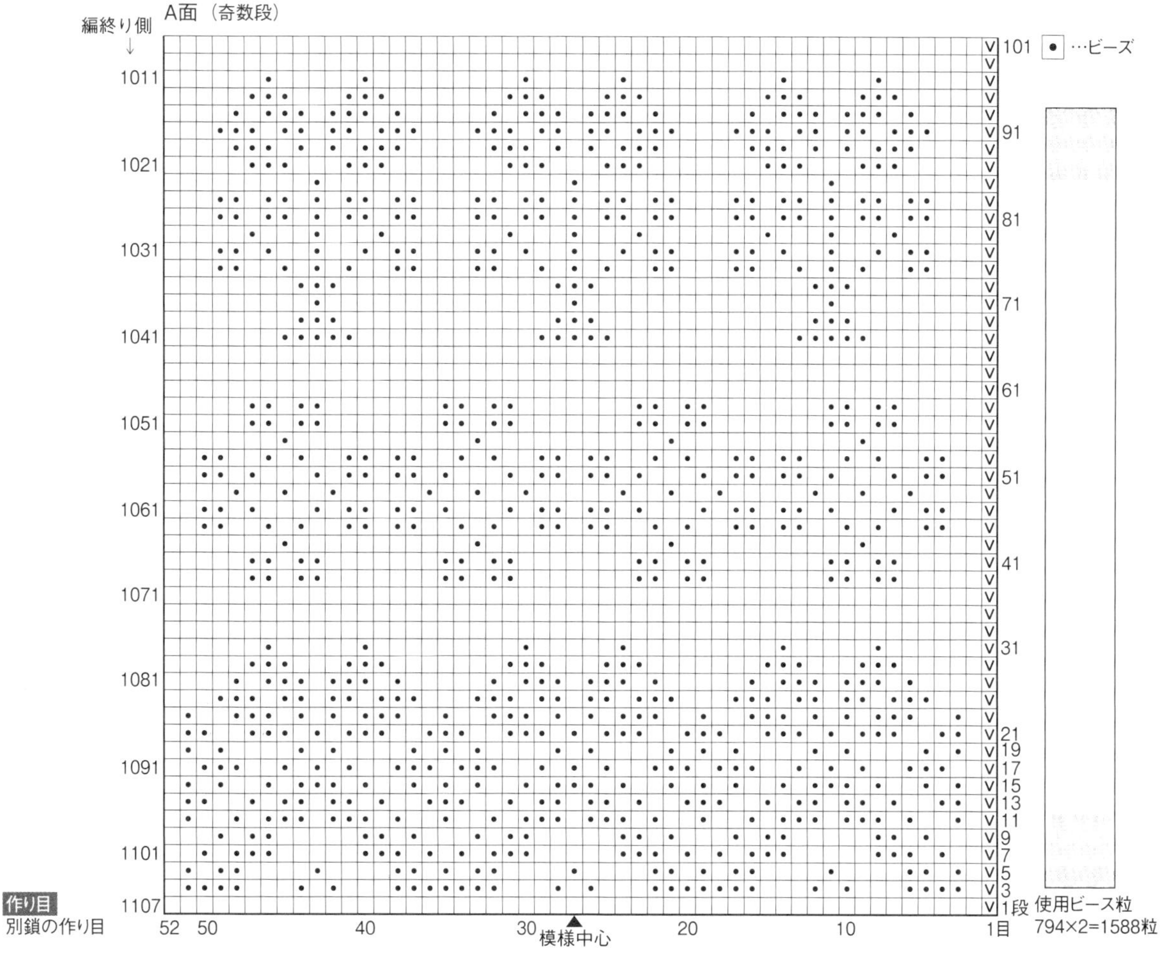

J 両面違う柄の２色づかいビーズニッティング

【材料】パピー　パピーニュー２PLYの黒（225）110g、MIYUKIグラスビーズ丸小のオーロラ青（360）1786個、パール白（527）1722個
【用具】０号棒針、ビーズ針（必要に応じてビーズを通すときに使う）
【ゲージ】39目78段が10㎝四方
【でき上り寸法】幅約12㎝、長さ約138㎝
【編み方】
○ビーズ編み
初めに毛糸にビーズを通しておきます。ビーズを一度にたくさん通しすぎると、ビーズを送り込んでいるうちに糸が傷むこともあるので、200～400個を目安に通しておきます。ビーズの通し方はp.67を参照してください。模様を作っている途中でビーズがなくなってきたら、段のキリのいいところでいったん糸を切り、またビーズを通して続きを編んでいきます。
奇数段を編むときは、A面図を、偶数段を編むときはB面図を見て編みます。それぞれ図の右側から編みます。ビーズの印のある目を編むとき、ビーズを１個寄せて１目編みます。ビーズは目と目の間に入るので、図では模様の中心が半目左にずれていますが、編むと模様はきちんと中央におさまります。
ビーズを入れている目はゆるみやすいので、特に注意して編みましょう。
○作品の編み方（p.97参照）
１本にオーロラ、もう１本にパールのビーズを通した糸を２本どりで編みます。編み方はガーター編みです。
別鎖を使う作り目で46目作り、糸端を幅の４～５倍残して編み始めます。
１段めはA面を見て編みます。端を１目

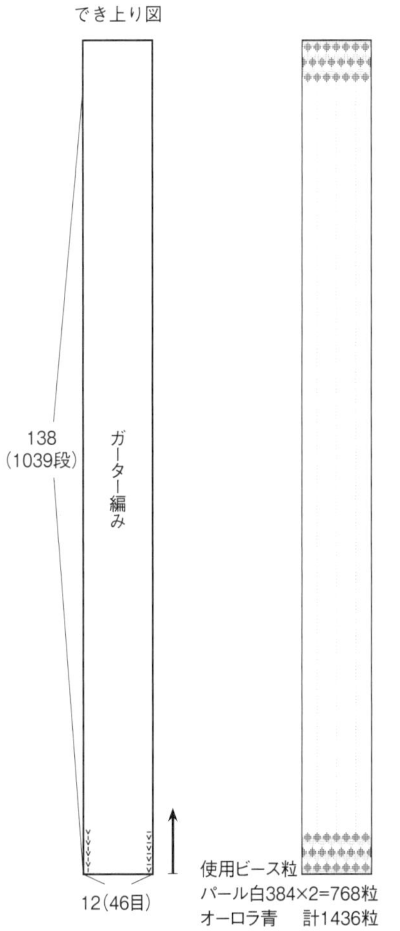

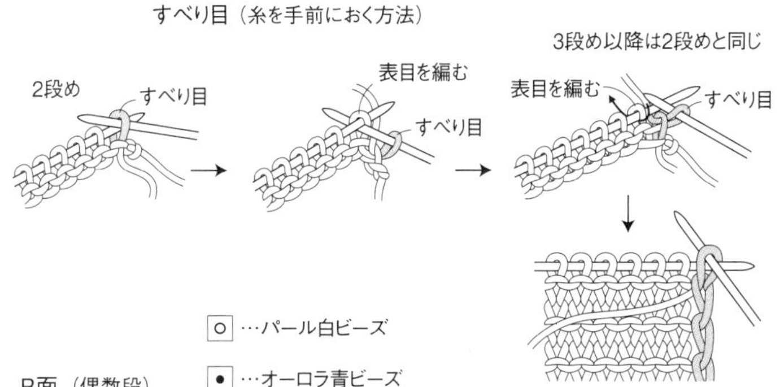

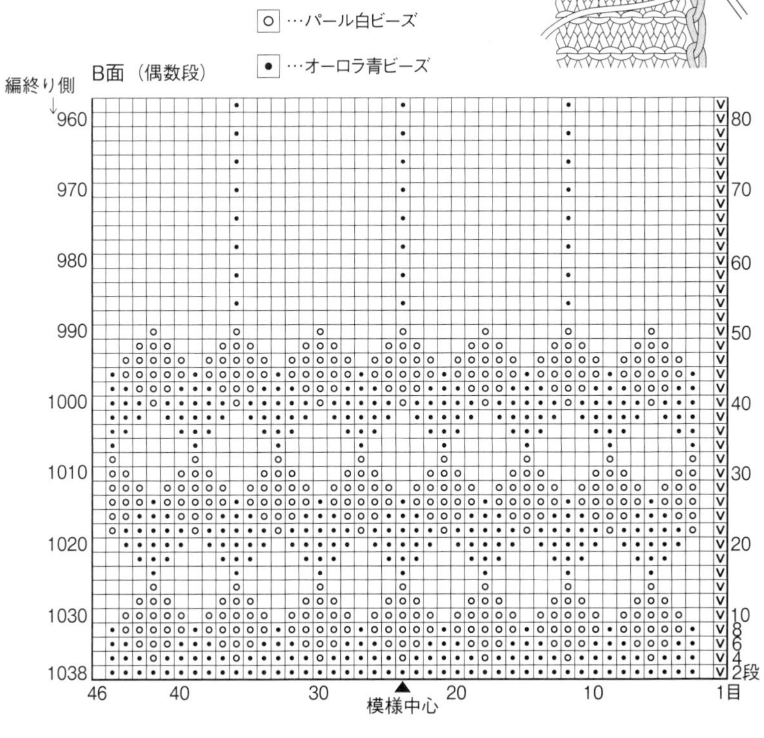

p.20

すべり目し（糸を手前におき、端目をそのまま右針に移す）、表編み１段編みます。２段めはＢ面を見て編みます。編始めの１目をすべり目して、１目表編み、２目めとの間の渡り糸にオーロラを１個寄せて、２本どりで編みます。以降、図案を見ながらオーロラ、パールを編み込んでいきます。Ａ面は８１９段め、Ｂ面は９９０段めから模様が再び始まります。
編終りはＢ面を見て裏目の伏止めにします。編始めは別鎖をほどきＡ面をみて表目で伏止めします。

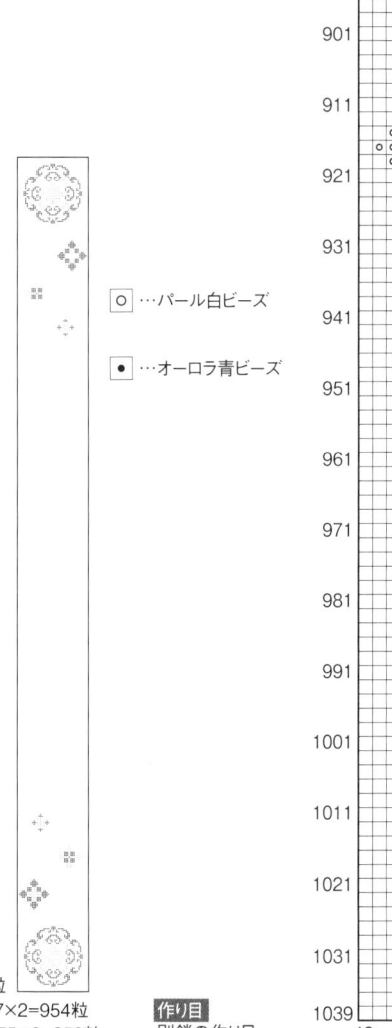

使用ビース粒
パール白477×2=954粒
オーロラ青175×2=350粒

○ …パール白ビーズ

● …オーロラ青ビーズ

作り目
別鎖の作り目

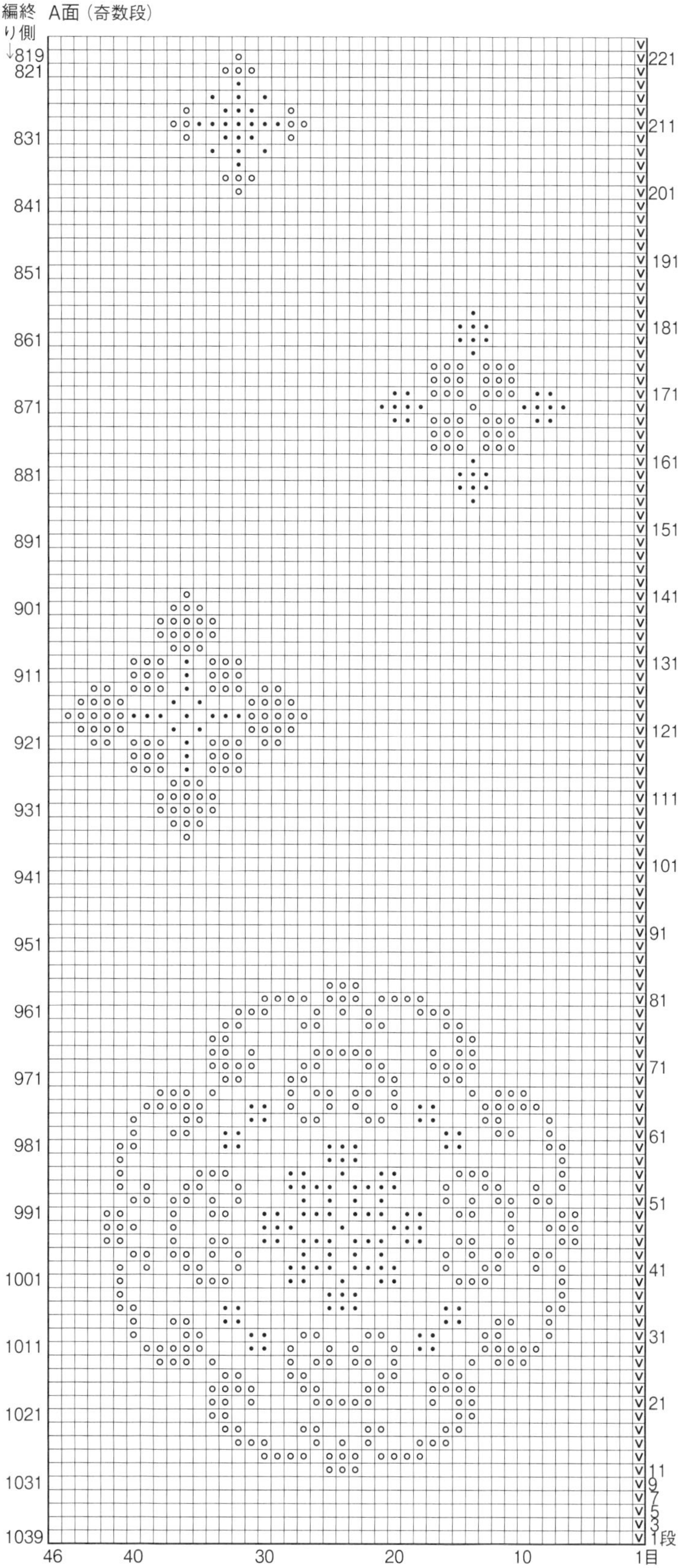

K ちょうちん形シェイプのバスケット編み

【材料】スウェーデン製オステルヨートランド　オンブレのグレー系（02）85g、キャラメルの赤黒系（12）75g
【用具】2号、3号棒針、5/0号かぎ針
【ゲージ】メリヤス編み（2号棒針）30目40段が10cm四方
【でき上り寸法】幅約10cm、長さ約170cm
【編み方】
3号棒針で編み始めます。ただし4目7段のモチーフのみ2号棒針で編みます。

1列め・モチーフa
1枚め：かぎ針で棒針に編みつける方法（p.94参照）で6目作り目します。編み方図のとおり12段編みます。
2枚め：1枚めのモチーフの最後の目にかぎ針を入れて1目引き出し、かぎ針で棒針に編みつける作り目で6目作ります。編み方図のとおり12段編みます。
同様に繰り返してモチーフを5枚編んで糸を切ります。

2列め・モチーフb
1枚め：糸を替え（以後、1列ごとに糸を切り、色を変えて編む）、モチーフaの2枚め同様に6目作り目します。モチーフaと2目一度でつなぎながら、11段編みます。
2枚め：モチーフaの5枚めの側面の1目内側、・印のところから6目拾います（拾い出した目がモチーフbの1段めになる）。編み方図のとおり、前列のモチーフとつなぎながら11段編みます。
3～5枚め：編み方図のとおり編みます。
6枚め：編み方図のとおり11段編んで裏目の伏止めをします（編み地の裏面を見て表目の伏止めをする）。
伏止めの最後の針に残った1目を、次の列の1目めとします。

3列め・モチーフb′
1枚め：糸を替え、モチーフbの側面の1目内側の・印のところから5目拾って（裏側から拾うことになるので、編み地の表側から針を入れ、裏目を編むように糸をかけて目を拾う）6目とし、前列のモ

でき上り図

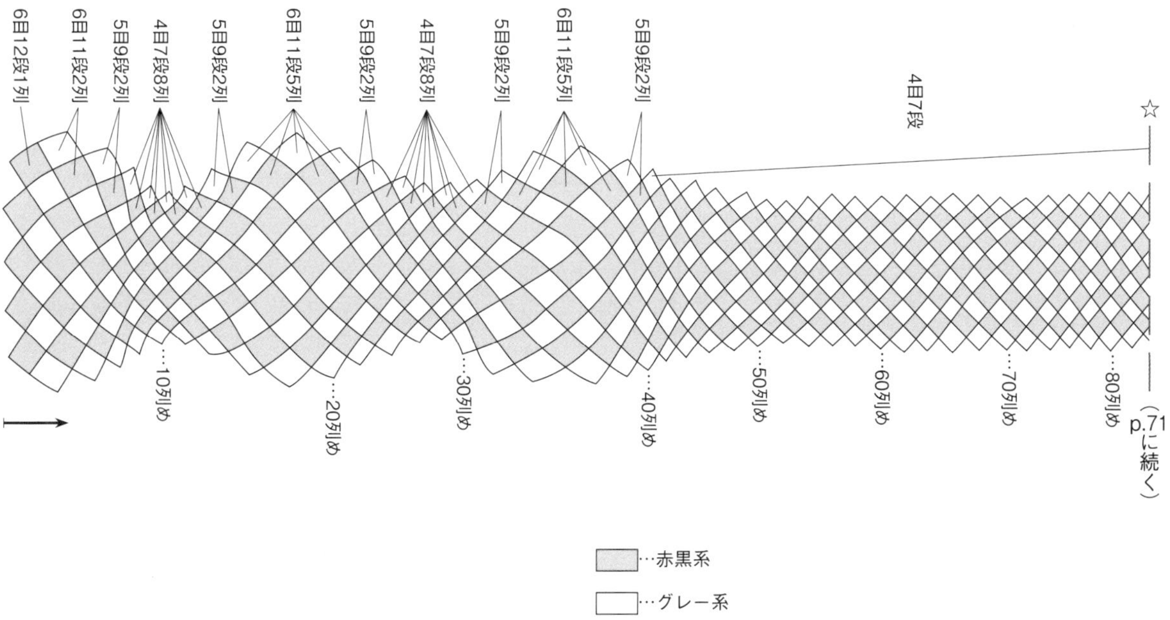

チーフと2目一度でつなぎながら11段編みます。

2枚め：前列bの拾い目位置・印から6目拾い、2目一度でつなぎながら11段編みます。

3～5枚め：編み方図のとおり編みます。

4列め・モチーフc

2列めと同様に編みますが、モチーフの大きさが変わるので減目の位置に注意します（○印の部分で3目一度する）。

1枚め：モチーフb′の最後の目から1目引き出し、かぎ針で棒針に編みつける作り目で5目作り目します。編み方図のとおり、前列のb′と2目一度でつなぎながら9段編みます。

2枚め～5枚め：前列の拾い目位置から5目拾い、2目一度でつなぎながら9段編みます。

6枚め：編み方図どおりに編んで、伏止めをします（編み地の裏面を見て表目の伏止めをする）。

以後、同様にモチーフの大きさの変わる列の作り目、拾い目の数と減目、増し目の位置に注意して、編み進めます

最後の列

1枚め：モチーフ3列め（b′）と同様に拾い目し、前列と2目一度でつなぎながら、編み方図どおりに編みます。10段めのすべり目は、糸を後ろにおいて表目を編むようにすべり目します（p.51参照）。

10段編んだら編み地を返して、裏目の伏せ目をします（編み地の裏面を見て表目の伏止めをする）。

最後の目は、前列のモチーフの最後の目と裏目の2目一度（裏面を見ているので、表目の2目一度）をしてから裏目の伏止めをします。伏止めの最後に残った目は、次のモチーフの1目めとします。同様にモチーフを5枚めまで編んで、糸を引き抜いて切ります。

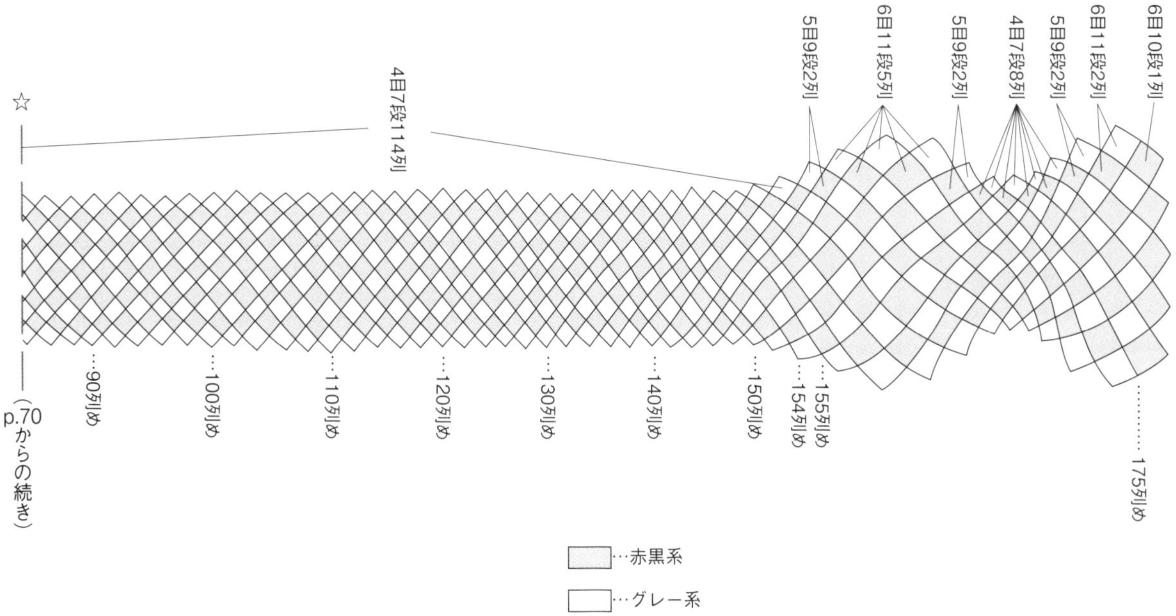

K

モチーフを小さくしていく編み方

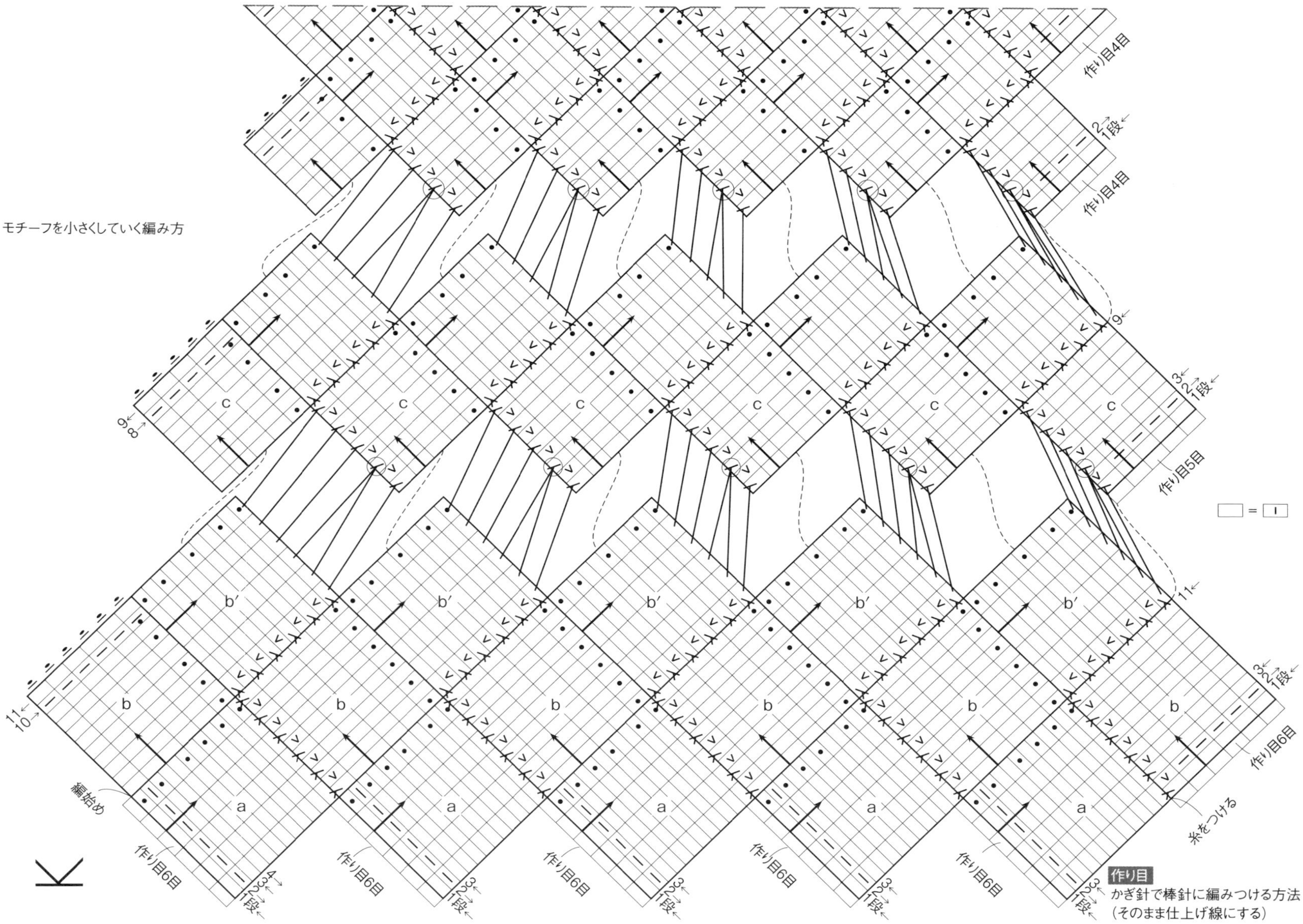

作り目
かぎ針で棒針に編みつける方法
（そのまま仕上げ線にする）

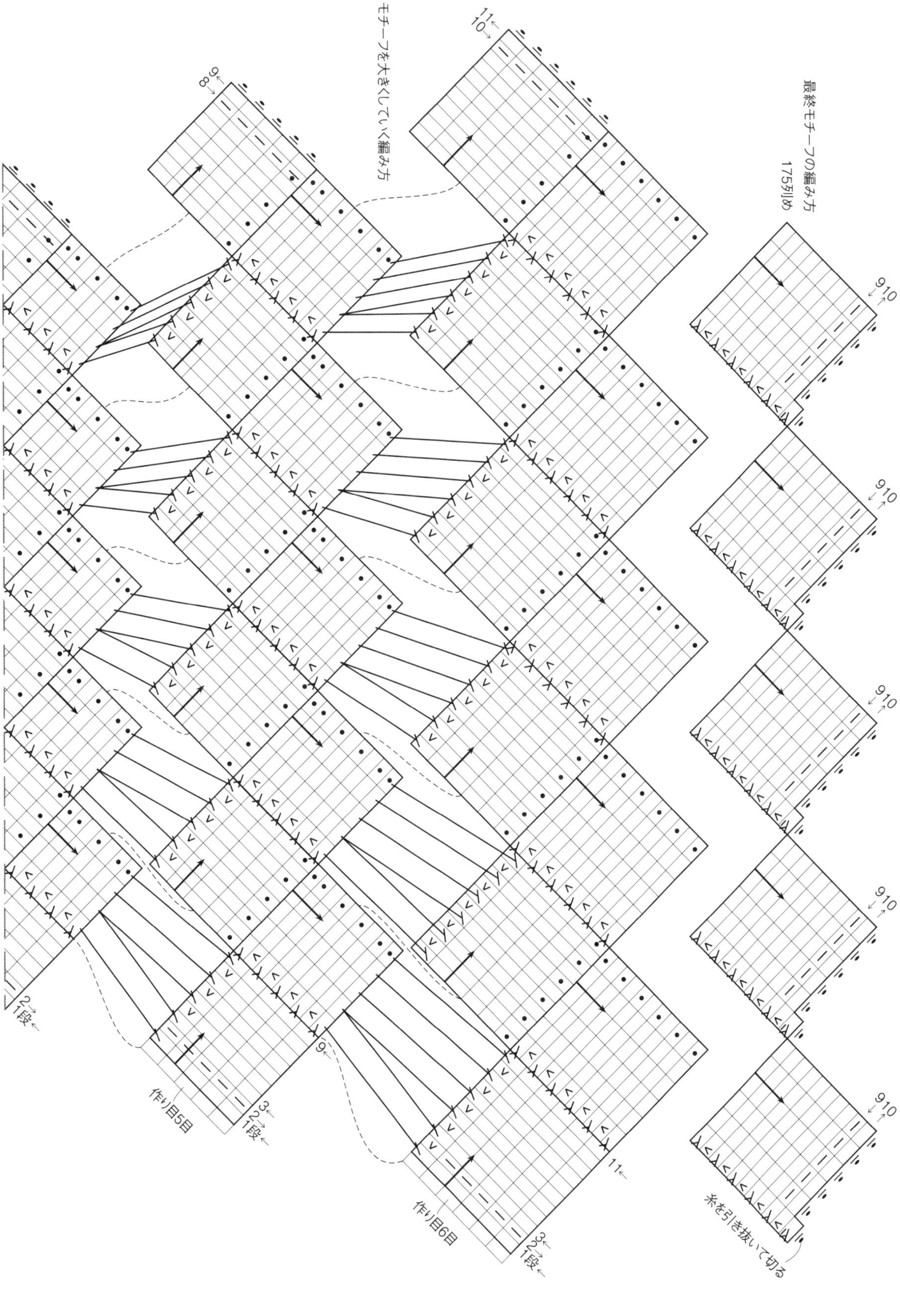
モチーフを大きくしていく編み方
最終モチーフの編み方
175列め
作り目5目
作り目6目
糸を引き抜いて切る
1段

L　袋状に編みつなぐかご編み

p.24

【材料】シェットランド製フェアアイル毛糸（2プライ・ジャンパー・ウエイト・中細タイプ）の濃いグレー（2009）、薄いグレー（2003）、濃い赤（9113）各35g、生成り（2006）、薄いベージュ（2002）、ブルーグレー（FC61）、緑（FC46）、ココア色（78）各30g、薄いピンク（FC50）、薄紫（FC51）各少々

【用具】2号棒針、5/0号かぎ針

【ゲージ】メリヤス編み28目36段が10㎝四方

【でき上り寸法】幅約16㎝、長さ約129㎝

【編み方】

モチーフ1から数字の順に編んでいきます。配色は、右の表を参考に、モチーフ1枚ごとに糸を切って、新しい糸に替えます。

1列め

モチーフ1　別鎖の作り目で15目作り、33段編んで目を休めます。

モチーフ2　モチーフ1の右側の1目内側を3段めから拾い始め、31段目で拾い終えるように15目拾います（●印で拾う。ここで編み出した目が次のモチーフの1段めになる）。33段編んで目を休めます。

モチーフ3　モチーフ2の下側の3段めから拾い始め、31段めで拾い終えるように（●印を拾う）15目拾います。編み方図のとおり、モチーフ2と2目一度でつなぎながら33段編み、目を休めます。

モチーフ4　モチーフ3の右側、●印のところから15目拾い目（編み地の裏を見ながら表側から針を入れ、裏目を編むように目を拾う。以降▲印のところは同様にする）、モチーフ1の作り目の鎖をほどいて、棒針に移し、2目一度でつなぎながら33段編んで目を休めます。

モチーフ5　モチーフ1の左側、●印のところから15目拾い目し、33段編み、目を休めます。

モチーフ6　モチーフ5の下側の●印のところから14目拾い目し、もう1段編んで、3段めでモチーフ4の端の目と2目一度します。4段めでモチーフ5の端の目と2目一度します。同様に両端で2目一度しながら編み進みます。32段めで2目一度したら、もう2段編んで目を休めます。

2列め

モチーフ7　モチーフ5の●印のところで15目拾い目、33段編んで目を休めます。

モチーフ8　モチーフ7の右側、●印のところで15目拾い目（▲）、モチーフ1の休み目と2目一度でつなぎながら33段編み、目を休ませます。

モチーフ9　モチーフ2の上側、●印のところで15目拾い目し、モチーフ8と2目一度でつなぎながら33段編み、目を休ませます。

モチーフ10　モチーフ9の右側、●印のところで15目拾い目し（▲）、モチーフ3と2目一度でつなぎながら33段編み、目を休ませます。

モチーフ11　モチーフ7の左側、●印のところから15目拾い目し、モチーフ6と2目一度でつなぎながら33段編みます。モチーフ6は14目なので、同じ目と2目一度するところがあります。

モチーフ12　モチーフ4の●印のところで14目拾い目し、両側でモチーフ10と11の休み目と2目一度でつなぎながら34目編んで目を休めます。

3列め

モチーフ13　モチーフ8の●印のところから15目拾い目し、33段編んで目を休めます。

モチーフ14　モチーフ13の右側、●印のところで15目拾い目（▲）し、モチーフ9と2目一度でつなぎながら編み、目を休めます。

モチーフ15　モチーフ10の上側、●印のところで15目拾い目し、モチーフ14と2目一度でつなぎながら33段編み、目を休めます。

モチーフ16　モチーフ15の右側、●印のところで15目拾い目（▲）し、モチーフ12と2目一度でつなぎながら33段編み、目を休めます。モチーフ12は14目なので、同じ目と2目一度するところがあります。

モチーフ17　モチーフ13の左側、●印のところで拾い目し、モチーフ7と2目一度でつなぎながら33段編み、目を休めます。

モチーフ18　モチーフ11の上側、●印のところで14目拾い目し、両側でモチーフ16と17と2目一度でつなぎながら34段編み、目を休めます。

以後、2列め、3列めと同様に、編み進みます。

20列め（最終列）

モチーフ115、116、117はモチーフ7、8、9と同様に編みます。

モチーフ118　モチーフ117より14目拾い目します。3段めからモチーフ111の休み目と、4段めからモチーフ117の休み目と、両側で2目一度でつなぎながら34段編み、目を休めます。

モチーフ119　モチーフ115より14目拾い目します。3段めからモチーフ114の休み目と、4段めからモチーフ115の休み目と、両側で2目一度でつなぎながら34段編み、目を休めます。

モチーフ120　モチーフ112より14目拾い目し、3段めからモチーフ118の休み目と、4段めからモチーフ119の休み目と、両側で2目一度でつなぎながら32段編んで、モチーフ116と目と段のはぎではぎ合わせます。

モチーフの編む順番と配色表

115…編む順番
2003…色番号

115 2003	116 2009	117 FC46	118 2003	120 9113	119 2002
113 FC61	109 9113	110 2003	111 FC61	112 FC46	114 78
103 2003	104 2006	105 FC46	106 2009	108 2006	107 2009
101 2009	97 9113	98 2009	99 2003	100 9113	102 78
91 2003	92 FC46	93 78	94 FC46	96 2006	95 2002
89 FC50	85 FC61	86 2006	87 2003	88 FC61	90 2009
79 2009	80 9113	81 78	82 9113	84 FC46	83 9113
77 2002	73 FC61	74 2002	75 2003	76 2002	78 2009
67 2009	68 2006	69 78	70 2006	72 FC46	71 2006
65 9113	61 FC61	62 9113	63 2003	64 9113	66 2009
55 FC46	56 2002	57 78	58 2002	60 FC46	59 2002
53 2006	49 FC61	50 2006	51 9113	52 2006	54 2003
43 FC46	44 2009	45 2002	46 2009	48 78	47 FC50
41 FC61	37 78	38 FC61	39 9113	40 FC61	42 2003
31 FC46	32 FC51	33 2002	34 2006	36 78	35 2006
29 9113	25 78	26 2003	27 9113	28 FC46	30 2003
19 FC46	20 2006	21 2002	22 2009	24 78	23 2009
17 FC61	13 78	14 FC61	15 9113	16 FC61	18 2003
7 FC46	8 2003	9 2002	10 2003	12 78	11 9113
5 2009	1 78	2 2009	3 2002	4 FC46	6 2003

上の入(人)と
…下の入(人)は
同じ目と2目一度する

モチーフの最終段の目と2目1度

…表目

● …拾い目位置

▲ …編み地の裏を見ながら表側から針を入れ、裏目を編むように目を拾う

でき上り図

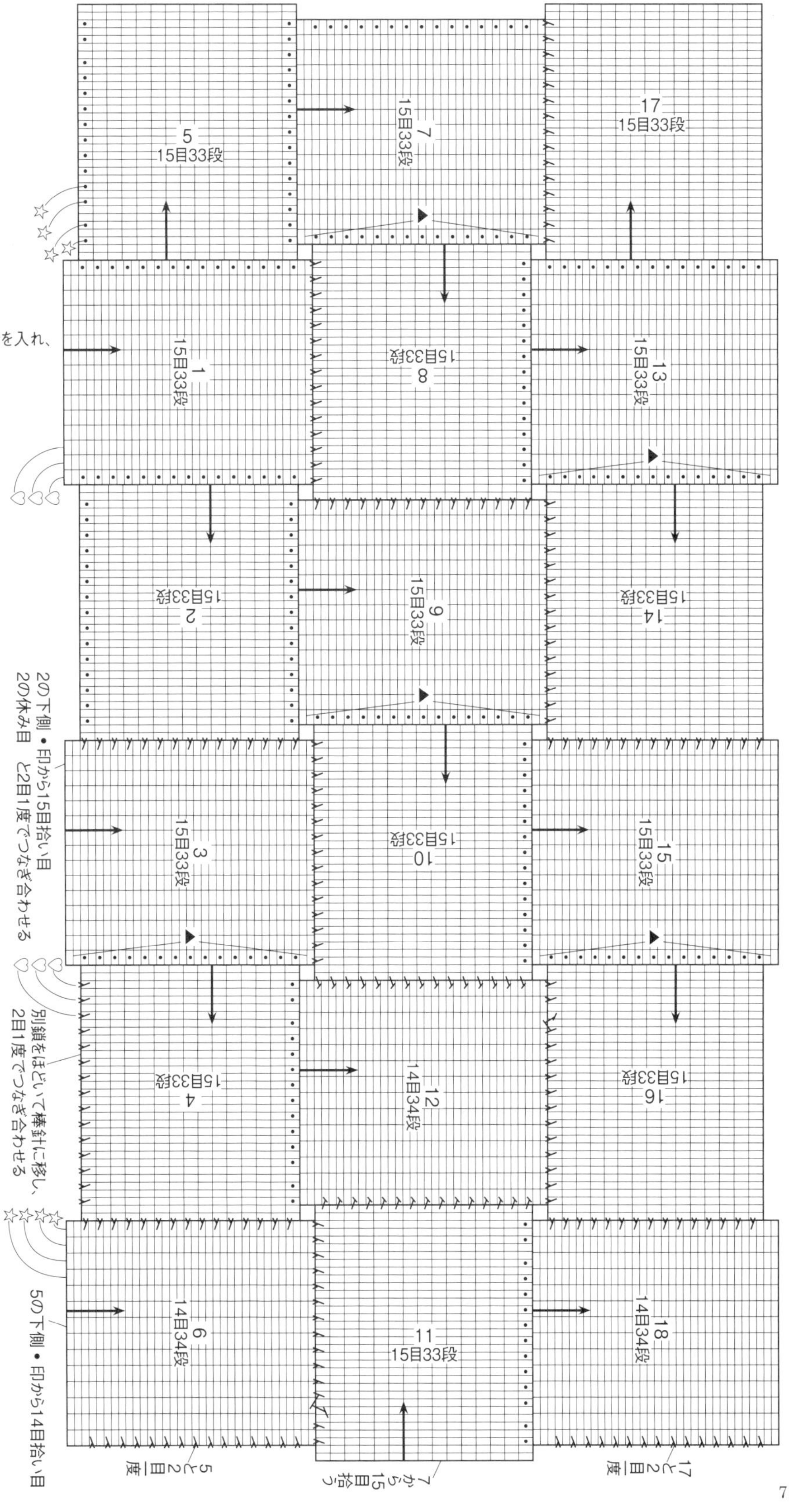

N 総ボッブル柄にグラデーションのフリンジ

p.28

【材料】パピー　ボーボリのグレー（413）340g

【用具】4号棒針3本

【ゲージ】22目32段が10cm四方

【でき上り寸法】幅約11cm、長さ約124cm

【編み方】

▲（フリンジ）以外は2本どりで編み、▲は1本どりで編みます。

▲を編むとき、右針は休ませ、新たに1本棒針を使い、▲を編みます。

○作品の編み方

別鎖の作り目で23目作り、編み幅の4～5倍の糸を残して編み始めます。編始めは毎段すべり目（表目を編むように針を入れる。p.77参照）にします。編み地はガーター編みで、▲と⊖の編み方はp.101を参照してください。偶数段の⊖は4段1模様の繰り返しです。奇数段の▲は図を参照してください。間隔、長さが変化しています。

編終りは裏編みで伏止めにします。

編始めは別鎖をほどき、残しておいた糸で表編みの伏止めにします。

でき上り図

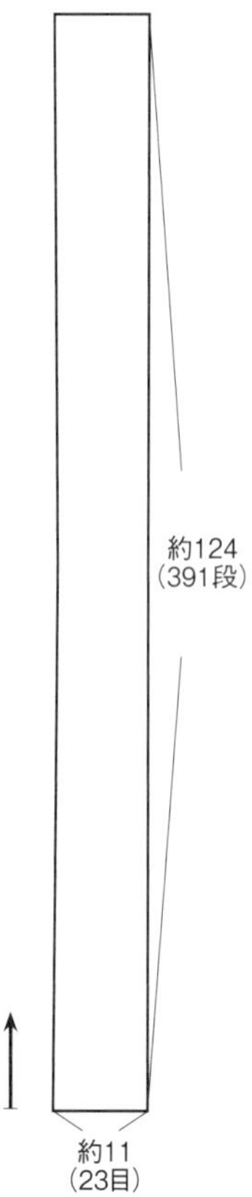

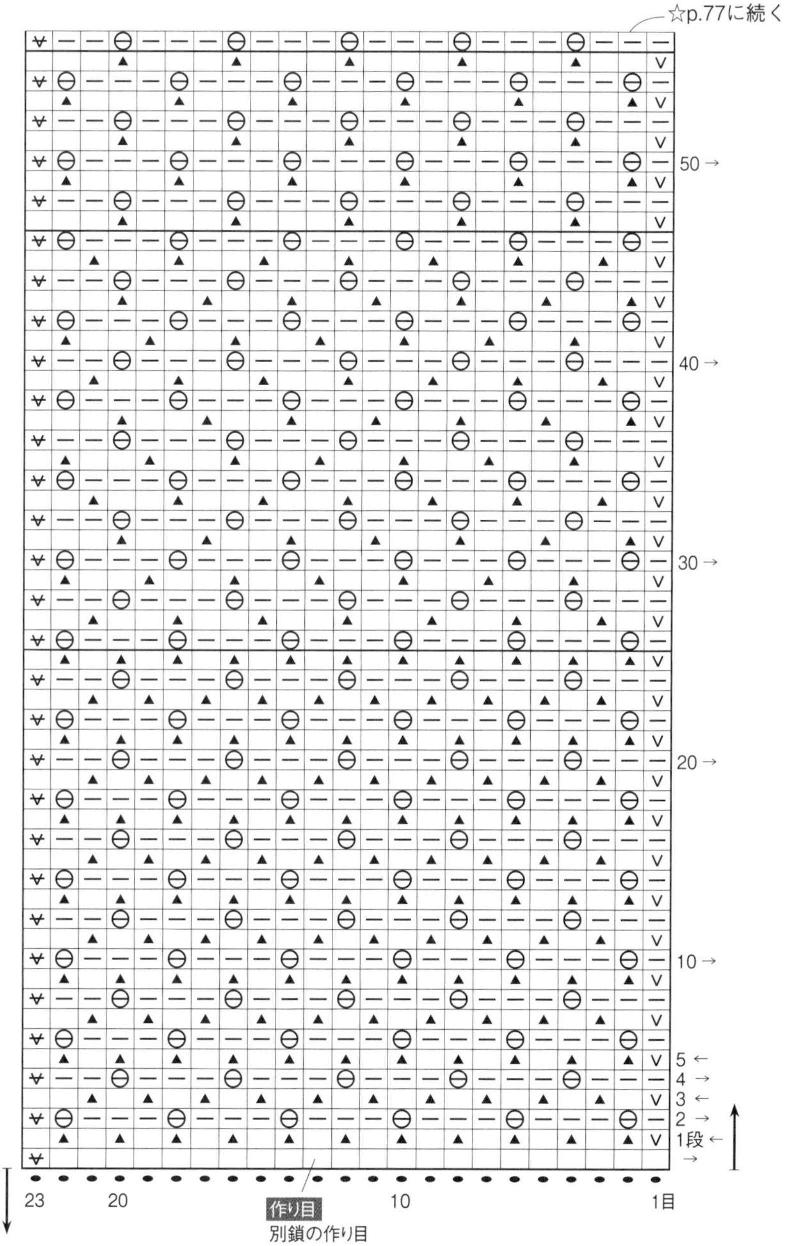

□ = |

▲の長さ

385〜391段…20目
367〜383段…18目
351〜365段…15目
335〜349段…12目
71〜333段…9目
55〜69段…12目
37〜53段…15目
13〜35段…18目
1〜11段…20目

すべり目
（糸を向う側におく方法）

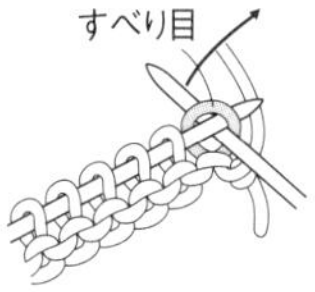

編み糸を針の向う側において、右針を図のように端目に入れてすべり目

↓

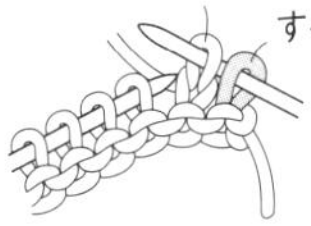

2目めからは表編みをする

↓

3段め以降は2段めと同じ

↓

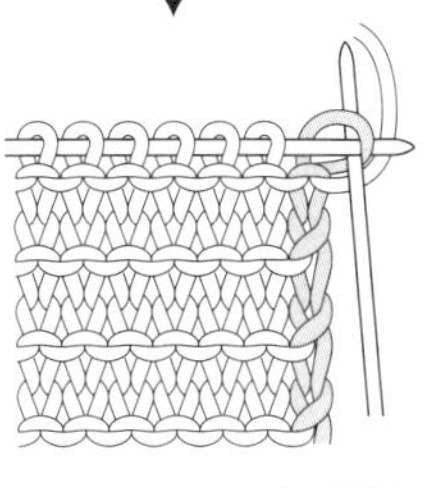

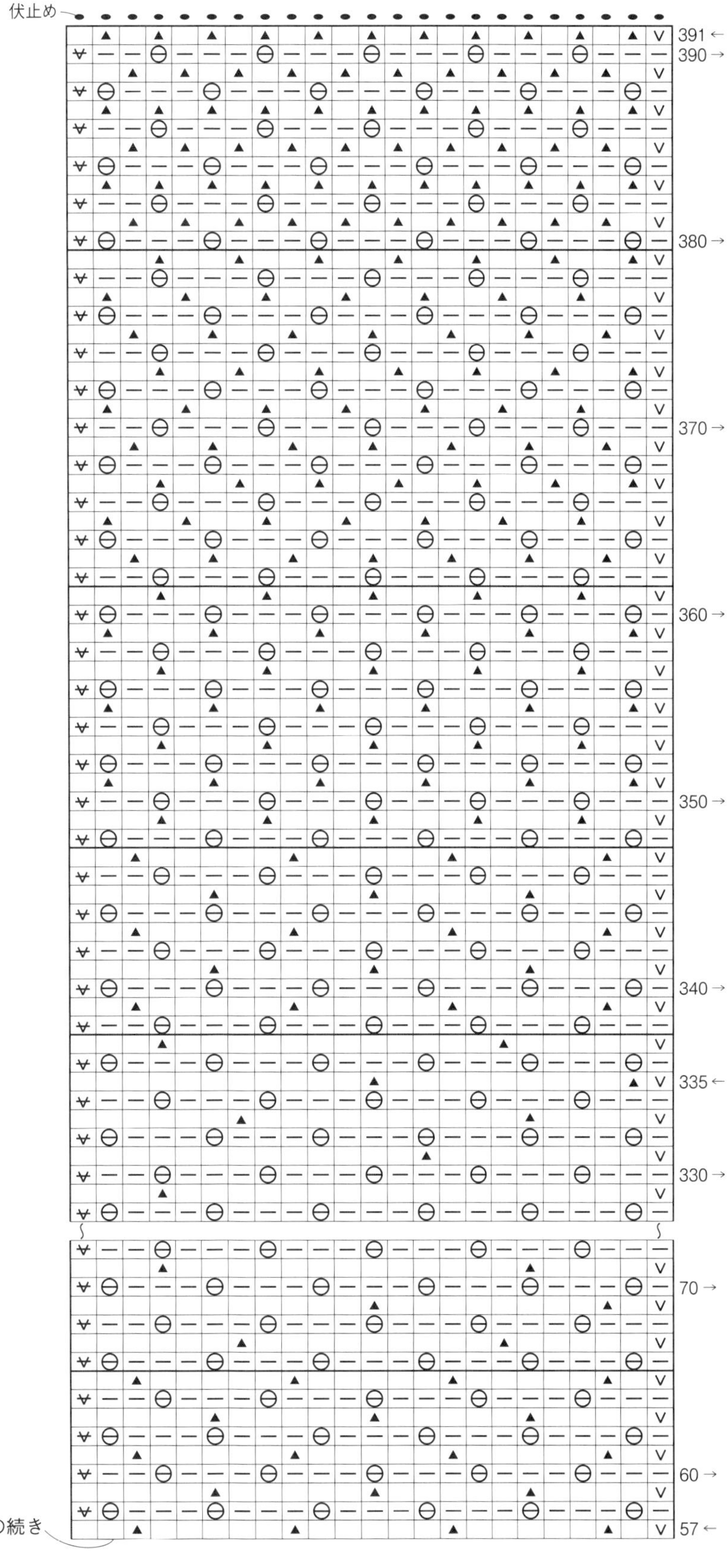

P フェアアイルの編込み、ポンポンつき

p.32

＊ポンポンの作り方はp.82参照

でき上り図

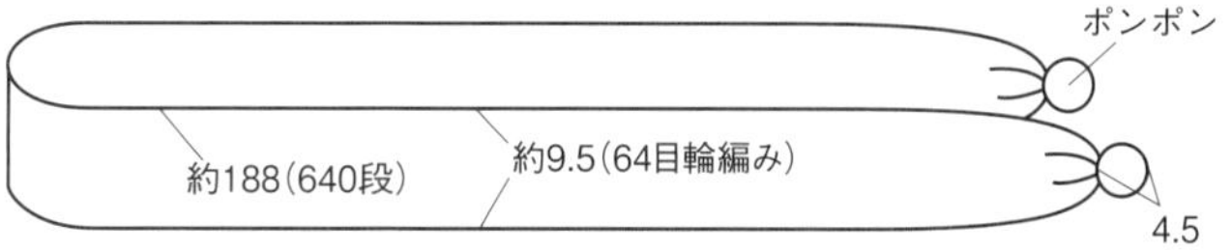

【材料】シェットランド製フェアアイル毛糸（2プライ・ジャンパー・ウエイト・中細タイプ）のブルーグレー（FC52）90g、生成り（2006）40g、薄グレー（2008）30g、薄ベージュ（2002）30g

【用具】4号4本棒針

【ゲージ】34目34段が10cm四方

【でき上り寸法】幅約9.5cm、長さ約197cm

【編み方】

別鎖の作り目をして輪に編みます。毎段表目で編みます。

図案に従い、裏に糸を渡す方法でフェアアイルを編みます。A、B、Cの順で色を変え、最後はAで終わり、縦に49個模様ができます。編込み模様の図はきれいにおさまるように微調整し、配置してあります（＊部分参照）。編始めの別鎖をほどき、目を拾い、ボタンつけの糸などの強い糸を通して絞ります。編終りも同様に絞ります。両端にポンポンをつけます。ポンポンは色を混ぜながら約300回巻き、直径約4.5cmを2個作ります（p.82参照）。

□…地糸（FC52・ブルーグレー）

□…A（2006・生成り）

□…B（2008・薄グレー）

□…C（2002・薄ベージュ）

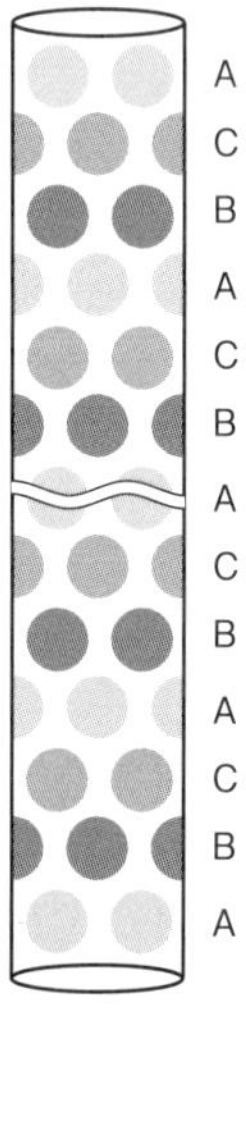

編込み模様の図案（メリヤス編み）

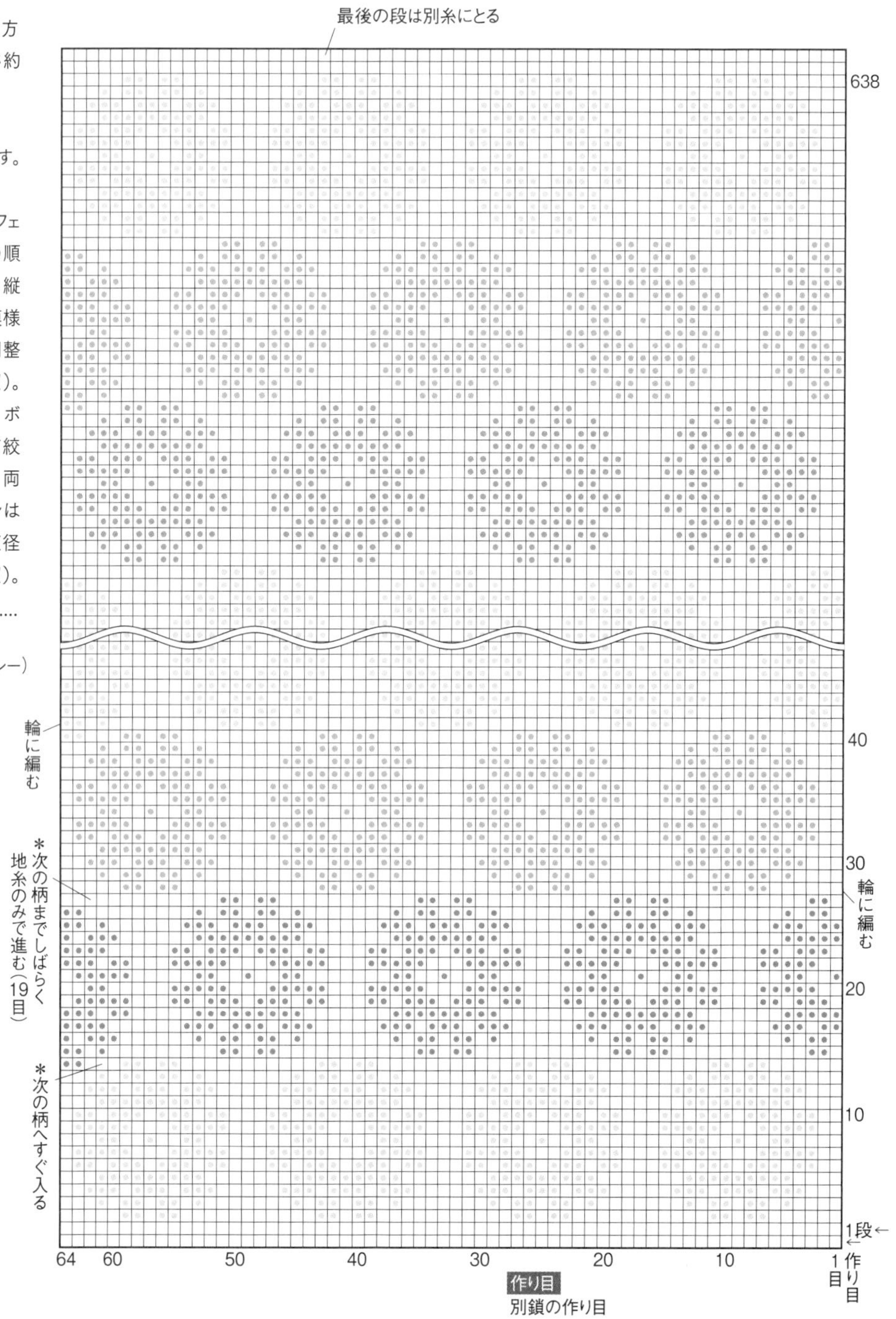

Q モザイク模様のカラフルな編込み

p.34

【材料】野呂英作　くれよんの段染め糸(170)、(185)、(188)、(221)、(250)、(256)各50g、黒系の並太毛糸50g(でき上り参考総重量245g)

【用具】7号棒針、7号輪針(できるだけ長いもの)

【ゲージ】18目28段が10cm四方

【でき上り寸法】幅約31cm、長さ約129cm

【編み方】

毛糸の玉からそのまま編むと編みづらいので各パーツのおおよその長さを編んではかっておき、それらの長さにあらかじめ糸を切り、編込み模様を編むとやりやすいでしょう。

別鎖の作り目50目から図に従い、それぞれ任意の色で目を拾い(8色)、編込み模様を図に従って裏に糸を渡さない方法で編みます。

作品写真を参考に好みの色を編み込んでいきます。編み方図の矢印を同系色にするように編み込むと、色の構成がまとまります。352段編み、最後の目は休めておきます。

縁編みは、黒系の糸で目を拾います。短い辺のうち編始めの辺は別鎖をほどいて拾い目し、編終りの辺は休み目をそのまま50目拾い、両端の目は2目一度にして48目にします。長い辺からは1目内側を4段ごとに3目の割合(352段÷4×3＝264目)で拾います。ガーター編みで輪に編み、最後は伏止めにします。

編込みの各パーツの編始め、編終りの糸は裏面で編み地の目なりに丁寧にとじ込んで始末します。

でき上り図

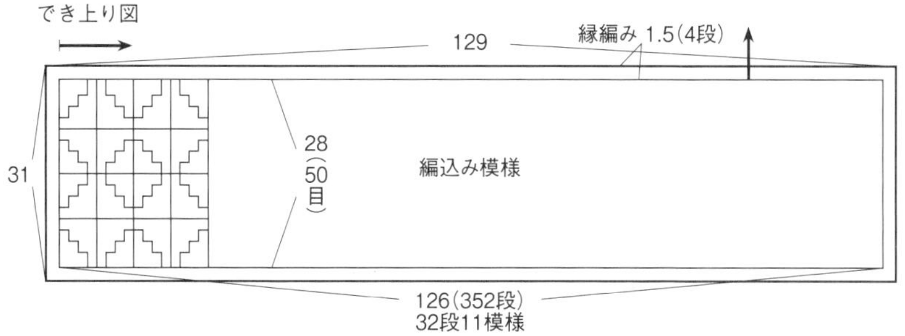

縁編み角の部分(ガーター編み)

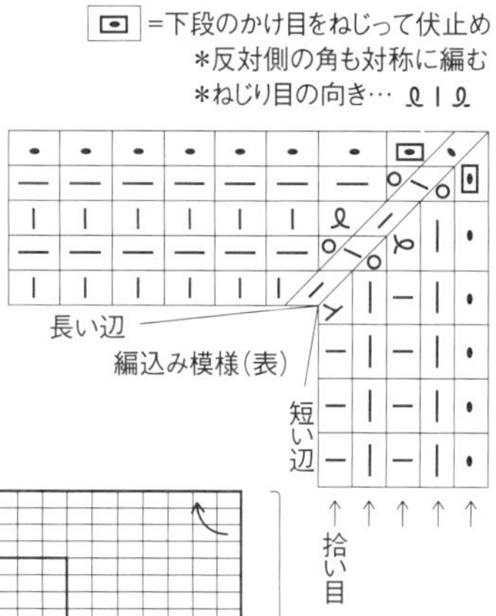

編込み模様の図案(メリヤス編み)

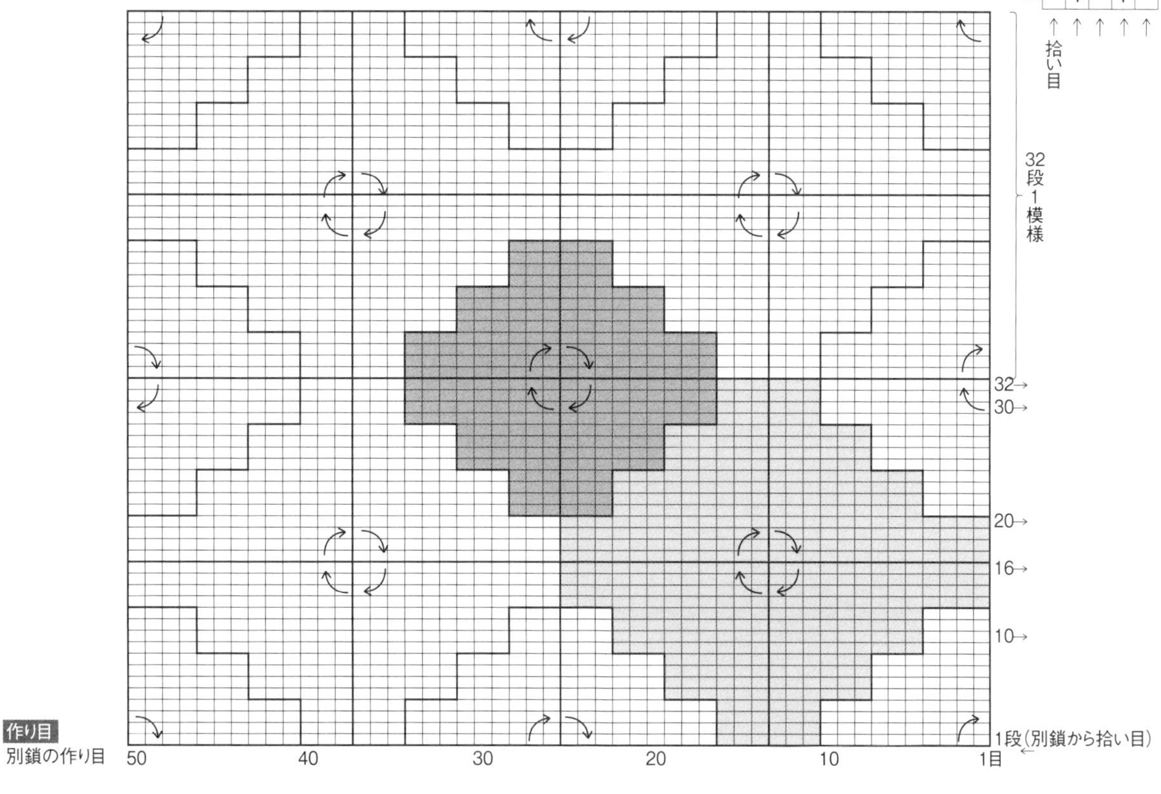

O フェアアイルのたっぷりサイズの編込み

p.30

【材料】シェットランド製フェアアイル毛糸（2プライ・ジャンパー・ウエイト・中細タイプ）全部で340g（各色の分量は別表参照）

【用具】3号40㎝輪針

【ゲージ】35目36段が10㎝四方

【でき上り寸法】幅約20㎝、長さ約160㎝

【編み方】

別鎖の作り目144目から始め、輪にして編み方図に従い（裏に糸を渡す方法で）、フェアアイルを編みます。

編終りは伏止めにします。編始めの別鎖をほどき、市松のかのこ部分を編んだ後、伏止めにします。共にコの字はぎにして袋状にします。

メインカラー	色違いのカラー	グラム
紫（133）	ナチュラル黒（2005）	65
濃いミックス紫（155）	ナチュラルグレー（2009）	105
霜降り赤（72）	ナチュラル濃いベージュ（2007）	20
明るい紫（123）	霜降り黒（81）	25
薄紫（FC51）	薄グレー（203）	35
薄ピンク（FC50）	ナチュラルベージュ（2002）	30
薄ベージュ（3）	薄ベージュ（3）	35
生成り（202）	生成り（202）	35

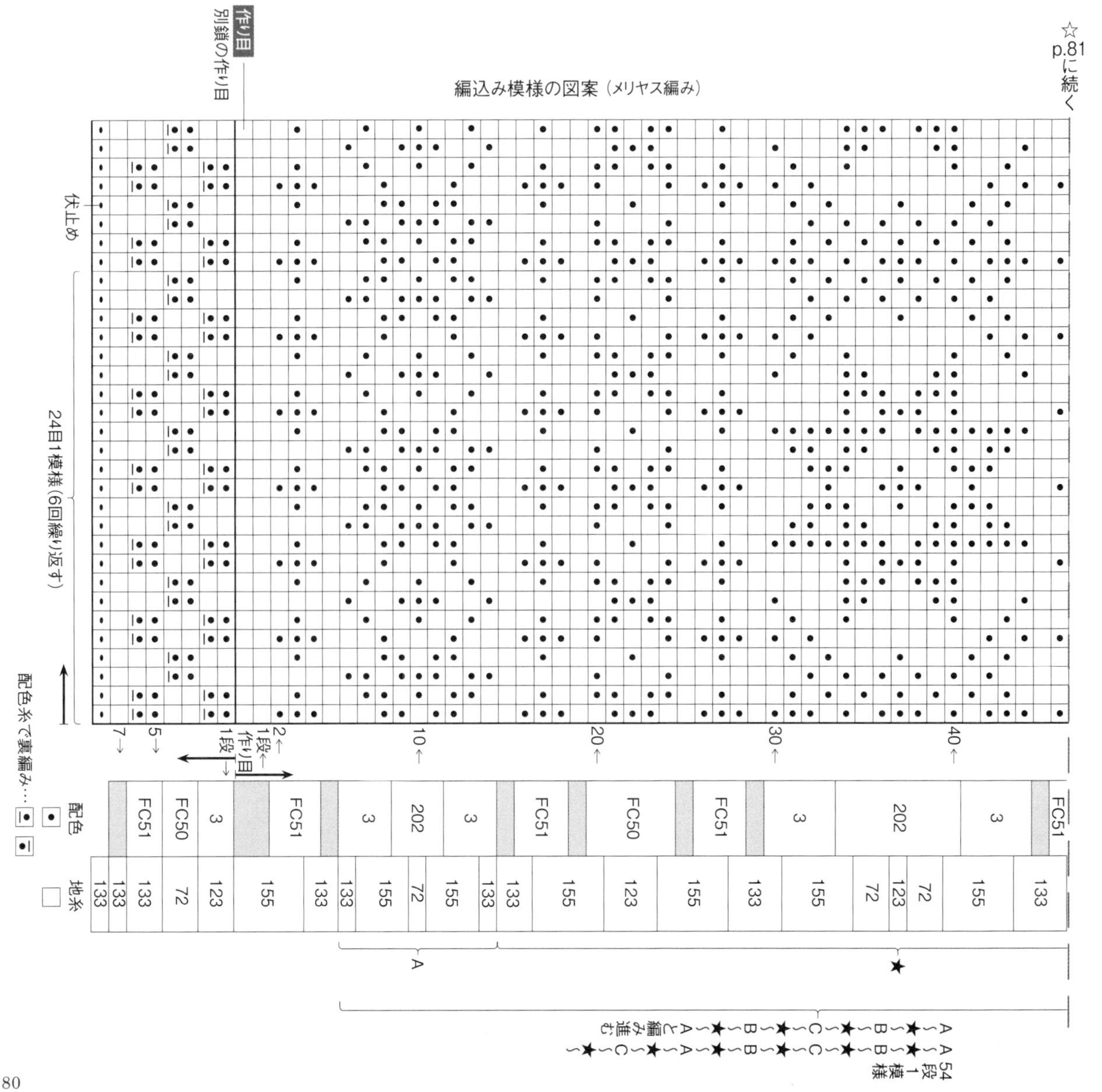

でき上り図

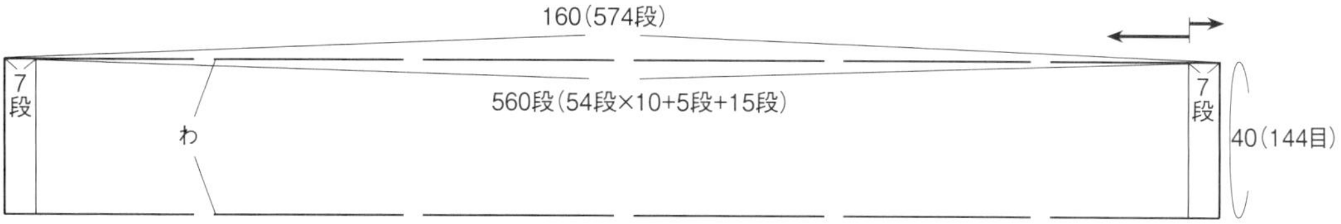

☆p.80からの続き

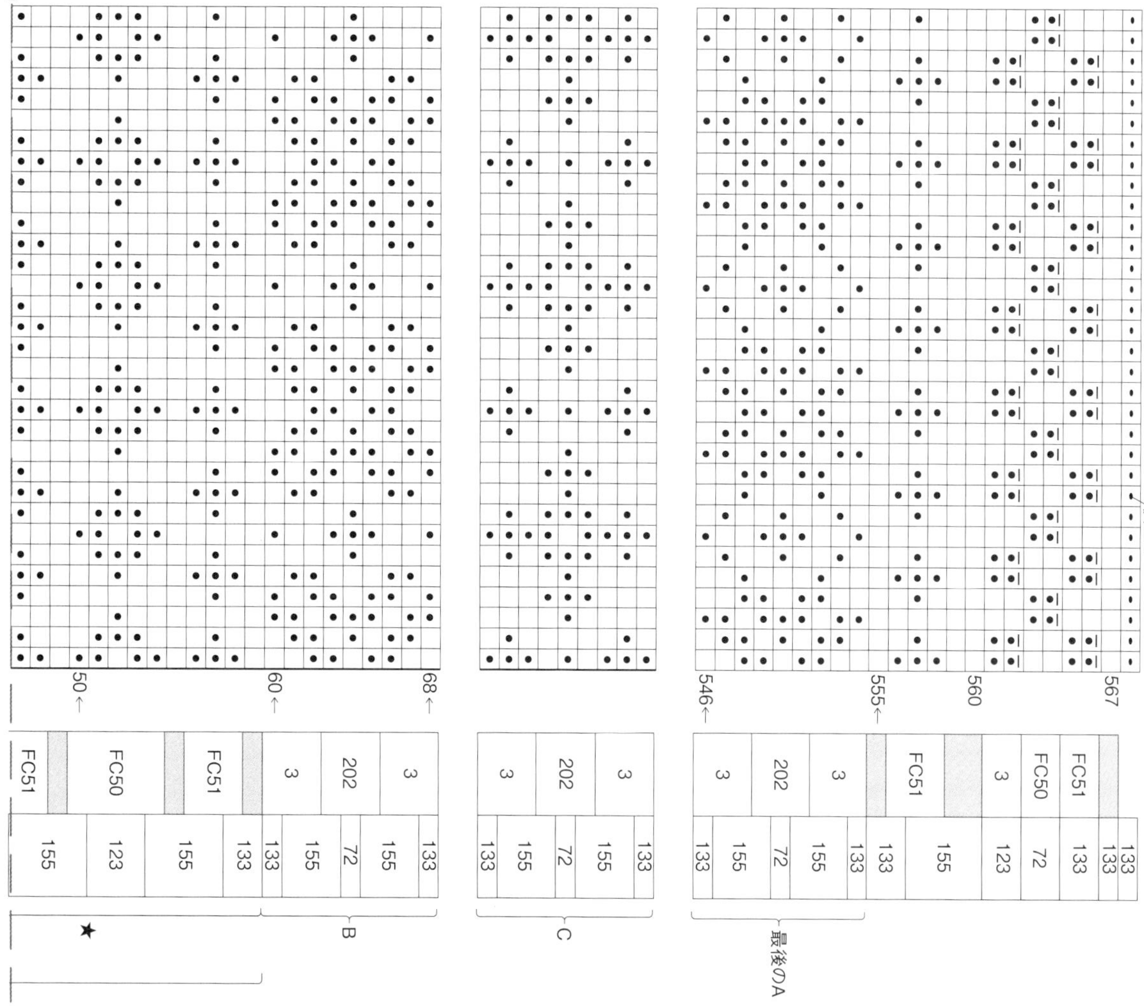

R　プリーツ模様で

p.36

【材料】ハマナカ　ツイードバザールの水色　（11）130g、グレー（4）70g
【用具】5号棒針
【ゲージ】28目39段が10㎝四方
【でき上り寸法】幅約19㎝、長さ約140.5㎝

【編み方】
別鎖の作り目で73目作り目をし、糸端を編み地幅の4～5倍残して編み始めます。毎段、編始めの目はすべり目にします（表目を編むように針を入れる。p.77参照）。
編み方図を参照して水色で372段、グレーで178段、合計550段編みます。編終りは編み方図を参照して伏せます。編始めは別鎖をほどいて、編終りと同様に伏止めにします。

でき上り図

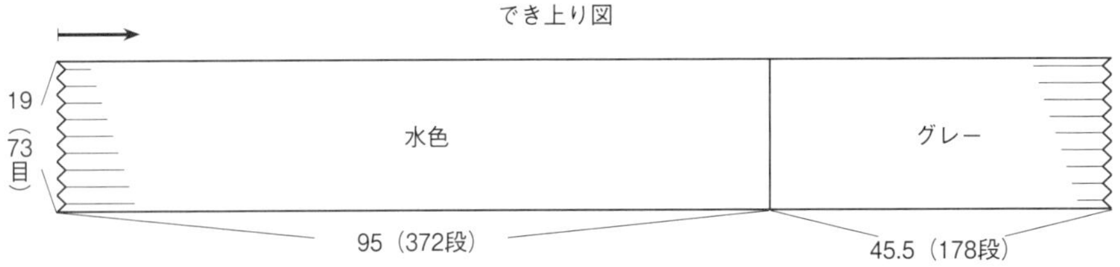

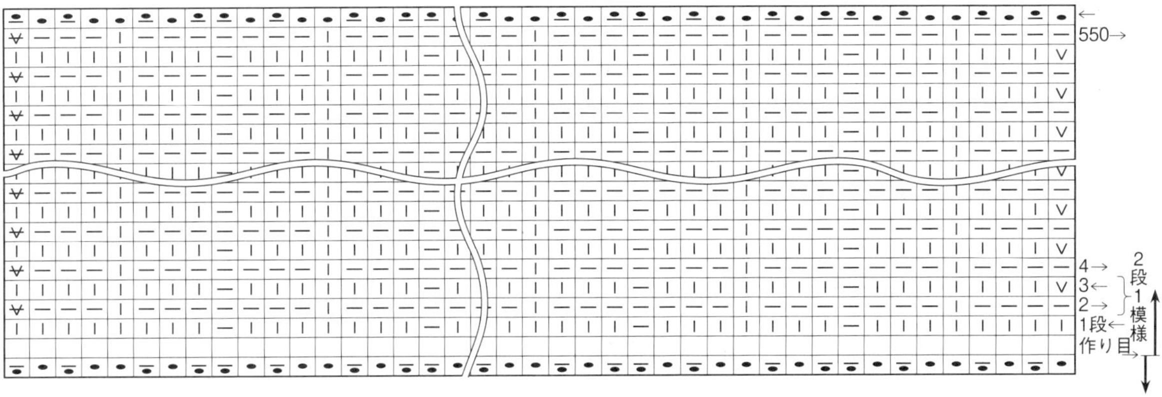

作り目
別鎖の作り目

ポンポンの作り方

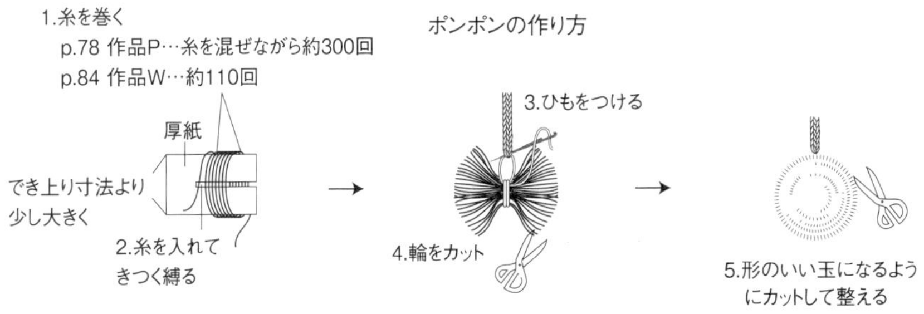

S はしご模様の透し柄で

p.37

【材料】アヴリル　綿モール手紡のワイン色　（88）150ｇ
【用具】10号棒針
【ゲージ】模様編み18目23段が10㎝四方
【でき上り寸法】幅約14.5㎝、長さ約156㎝（フリンジを除く）

【編み方】
毛糸は２本どりで編みます。指で針にかける作り目で26目作ります。毎段右端１目はすべり目にします（表目を編むように針を入れる。p.77参照）。模様編みA、B、Cを順に編み、37段めからは模様編みBとCを繰り返します。最後は模様編みC、B、Aと編み、伏止めします。両端にフリンジをつけます。フリンジは１目ごとに、２本どり、１本どりをランダムに混ぜてつけます。

でき上り図

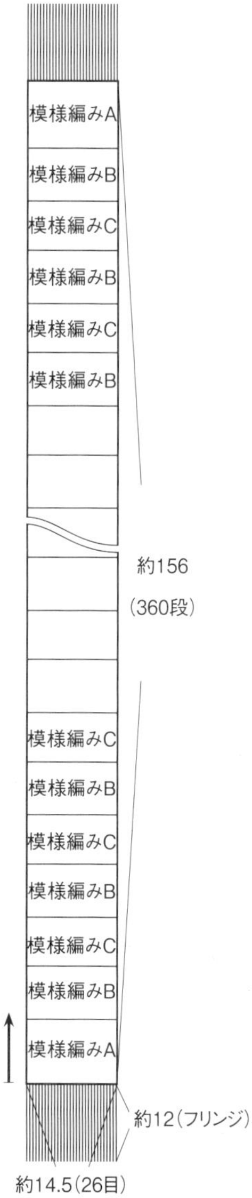

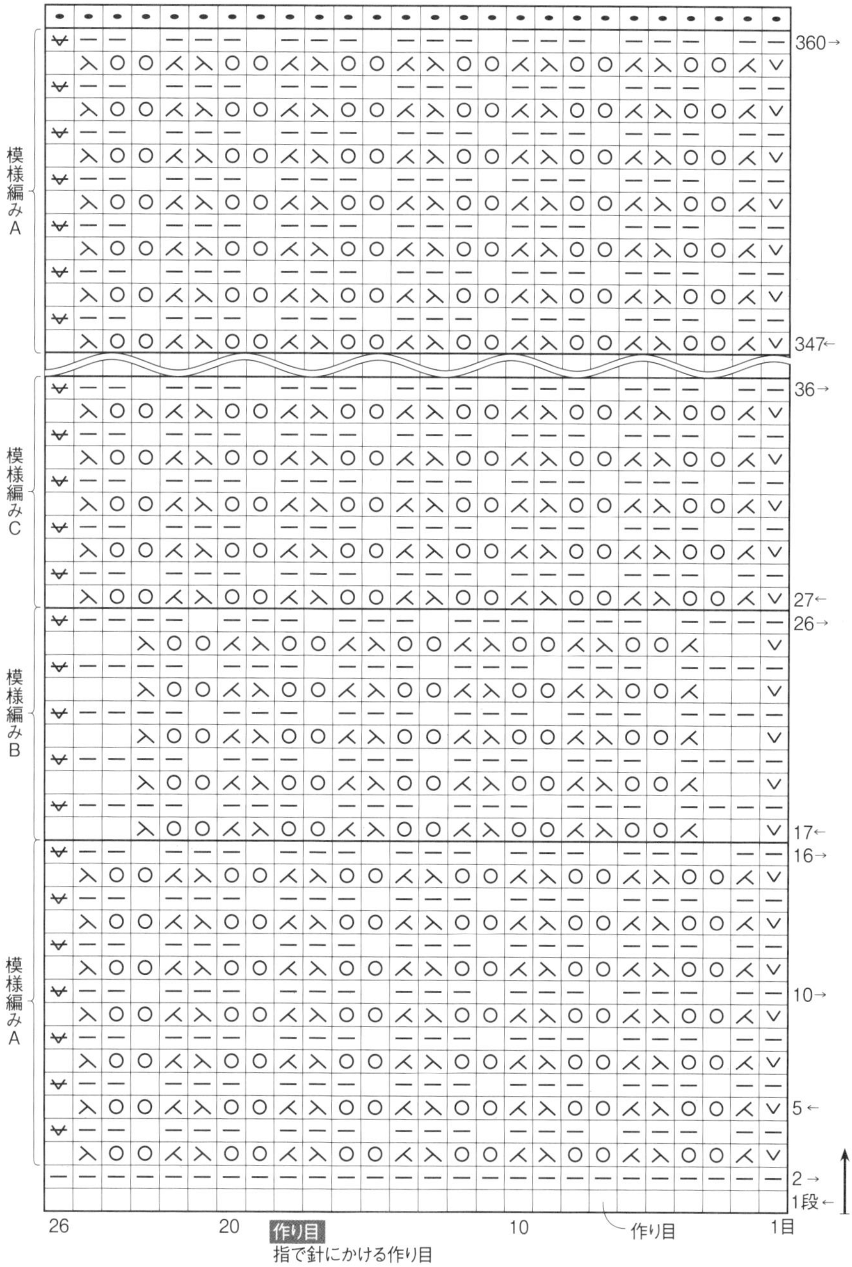

＊フリンジの作り方はp.54参照

W ジグザグ模様にポンポン

【材料】ハマナカリッチモア　モラの黒系段染め(8)160g、マルチカラー段染め(5)35g
【用具】4号、5号棒針
【ゲージ】35目42段が10cm四方
【でき上り寸法】幅約23cm、長さ約174cm
【編み方】
模様編みAA'CC'は4号棒針、Bは5号棒針で編みます。

別鎖の作り目で83目作ります。最初に黒系段染めでAを編みます（図1参照）。毎段右端の1目はすべり目をします（表目を編むように針を入れる。p.77参照）。322段編んで糸を替え、Cを編みます。Cの最終段は図2を参照してください。模様編みAの別糸の鎖をほどいて83目拾い、Bを編みます（図3参照）。別鎖の裏山を拾うことになるので82目になりますが、編み地の端のこぶのところから1目拾い、83目に整えます。Bを編んだらAの休み目とBからの拾い目で83目拾い（p.85図4参照）、A'C'を編みます。ポンポンはマルチカラーの糸で直径2.5cmを10個作り、ジグザグの先につけます（p.82参照）。

でき上り図

A、A'、B…黒系段染め
C、C'…マルチカラー段染め

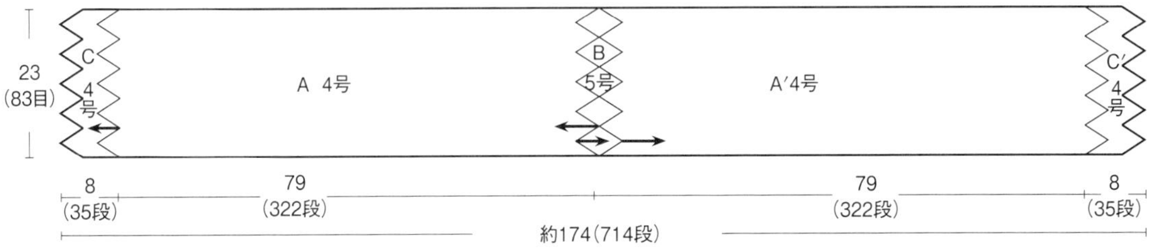

図3 Bの編み方、BからA'の編み方

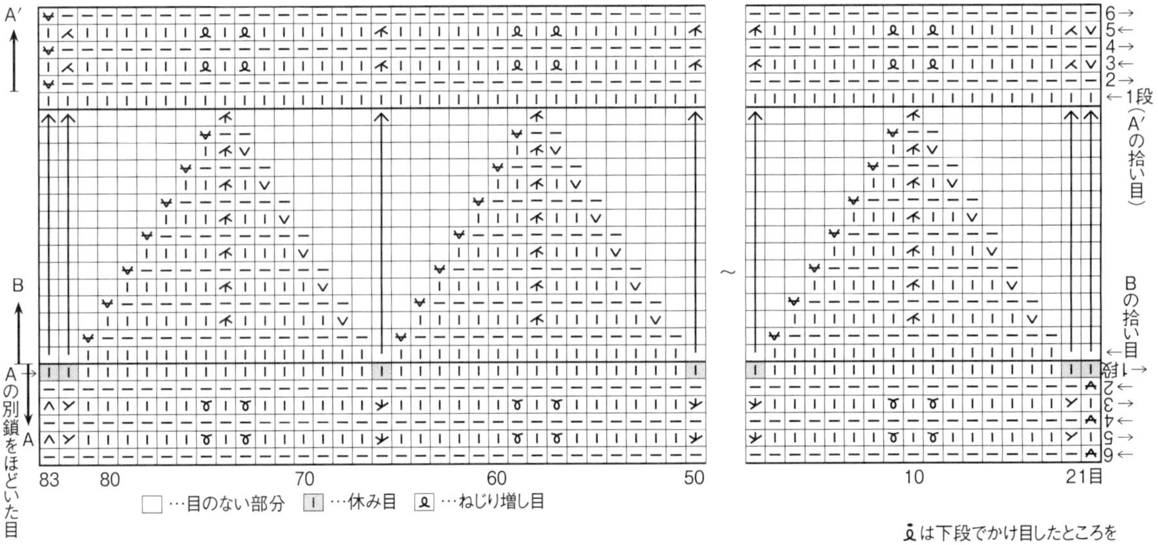

図2 C C'の編終り（最終段）

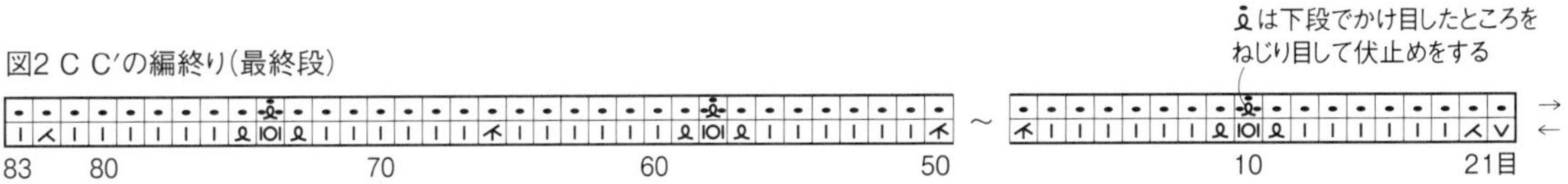

図1 A A'、C C'の編み方

U 蝶々模様の引上げ編みで

p.40

【材料】アヴリル　モヘアタム手紡のマルチカラー（132）180ｇ
【用具】7号棒針
【ゲージ】22目42段が10㎝四方
【でき上り寸法】幅約13㎝、長さ約185㎝

【編み方】
別鎖の作り目で29目作ります。糸端を編み幅の4～5倍残し、編み始めます。1段から11段まで編んで、以後6～11段までを繰り返し、777段まで編み、残り2段は図の編終りを参照して編みます。
表目3目、裏目3目の模様ですが、裏目部分は偶数段から模様が始まるので両面とも編み方は同じです。編始めと編終りは伏止めにします（表目は表編み、裏目は裏編みの伏止め）。

でき上り図

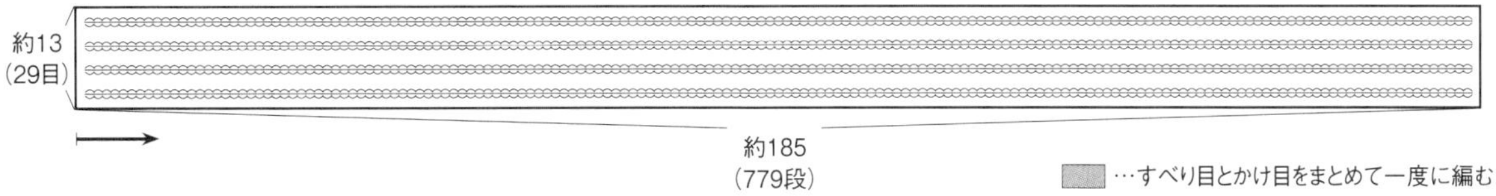

…すべり目とかけ目をまとめて一度に編む
…目をすべり目、かけ目をする

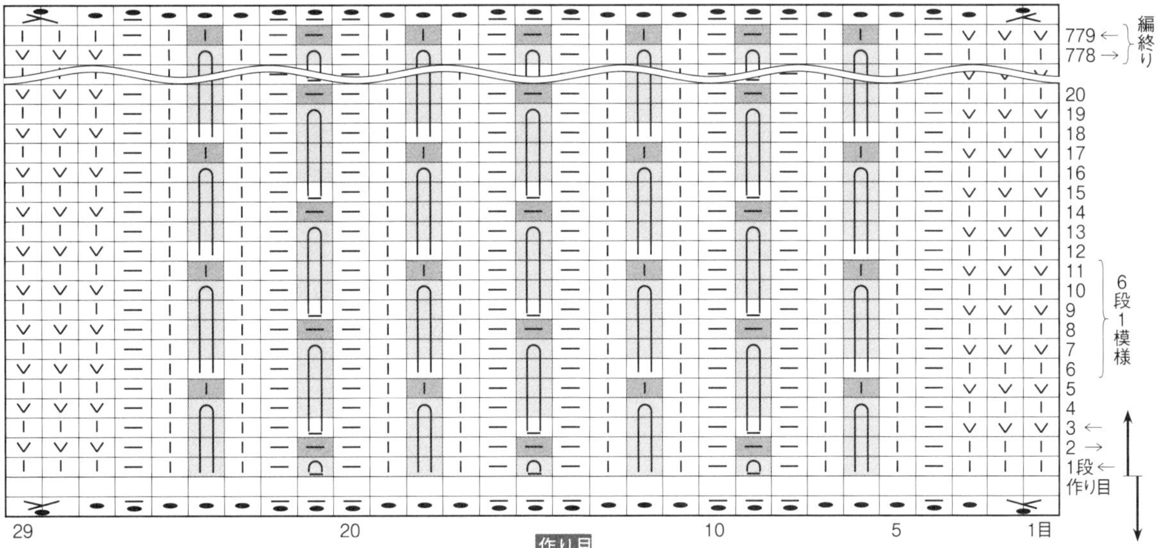

V V V …3目すべり目して糸は裏側に回す（両端とも）
作り目 別鎖の作り目

Wの続き 図4 A′の拾い目

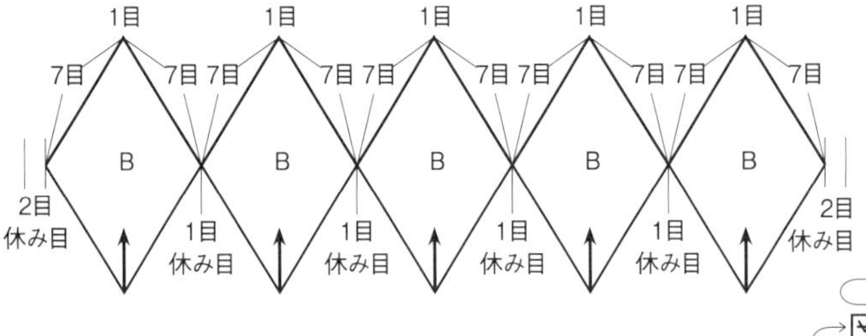

Bの編み方

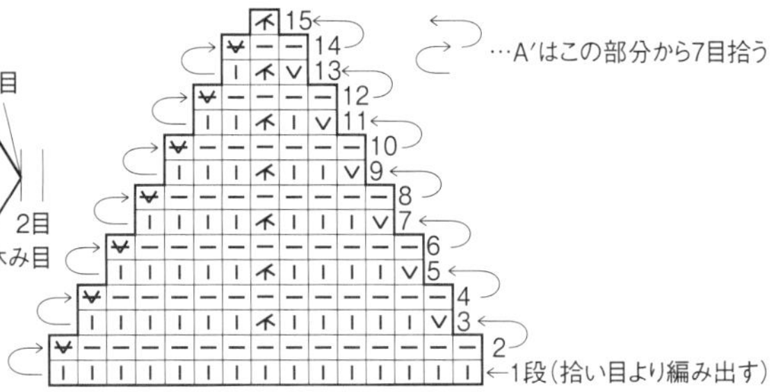

V

作り目
別鎖の作り目

□ …表目
| …表目
— …裏目
⊙ …フリンジつけ位置
ρ …ねじり増し目
⋌ …左上2目一度

V　ガンジー風に表目と裏目で

p.42

【材料】パピー　シェットランドの黄土色（02）240g
【用具】4号棒針
【ゲージ】23目38段が10㎝四方
【でき上り寸法】幅約20㎝、長さ約155㎝（フリンジを除く）
【編み方】
別鎖の作り目で47目作ります。糸端を幅の4～5倍残し、編み方図を参照して編み始めます。
編終りは、590段めの表目のところは裏編みをして伏止め、裏目のところは表編みをして伏止めにします。
編始めの別鎖をほどき、編終りと同様表目のところは裏編みをして伏止め、裏目のところは表編みして伏止めにします。別鎖の裏山からの伏止めなので、半目ずれますが、図のように、裏2目、表2目…で伏せていきます。
フリンジは、編始め位置には1目ずつ、段の方向には、編み方図◉印（2段ごと）につけます。フリンジは1本どりで、でき上りの長さ6.5㎝。

＊フリンジの作り方はp.54参照

でき上り図

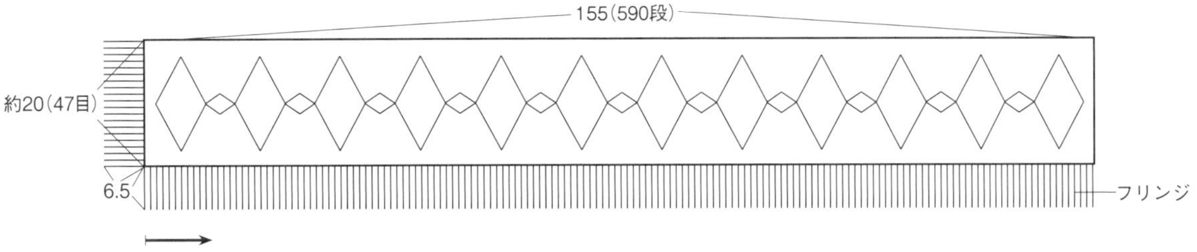

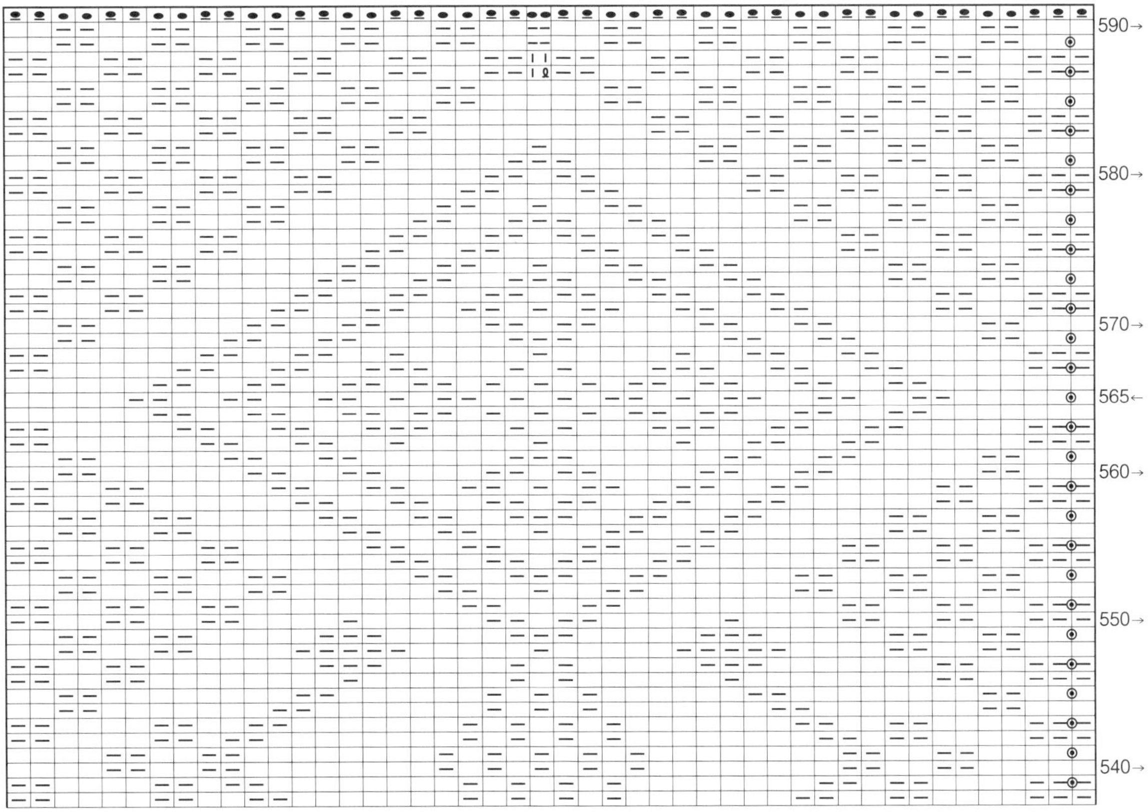

編み方図1

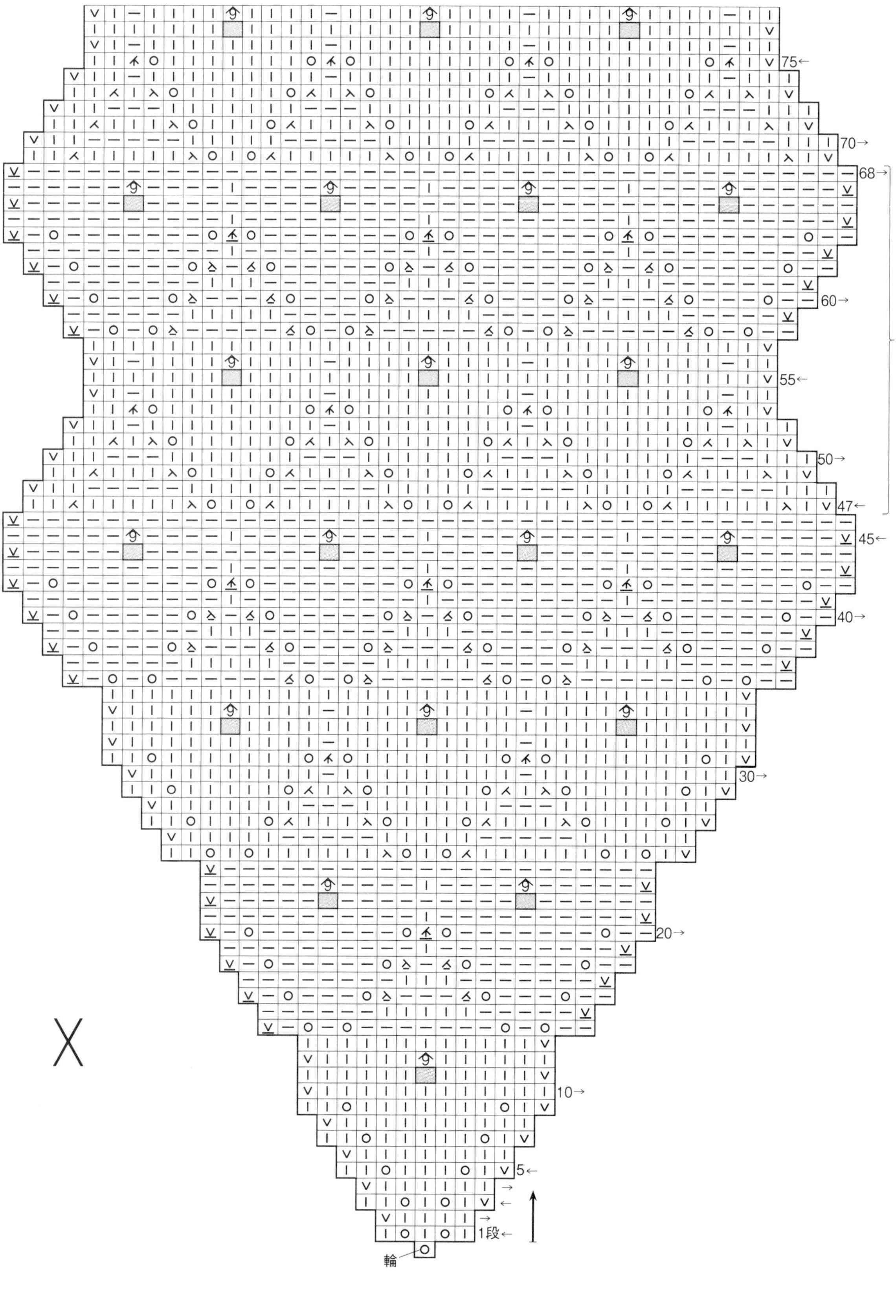
75
70
68
60
22段1模様
55
50
47
45
40
30
20
10
5
1段
輪

X　ベリー柄の変り引上げ編み、9目一度

p.46

【材料】ホビーラホビーレ　モヘヤポージーの水色　(59) 130g
【用具】5号棒針
【ゲージ】24目31段が10cm四方
【でき上り寸法】幅約15～18cm、長さ約190cm
【編み方】
○作品の編み方
糸で輪を作り、その中に(表目、かけ目、表目、かけ目、表目)と5目編み入れます。輪はかぎ針のモチーフを編むときの作り目のように、指に糸を2回巻きつける方法です(輪は後で糸を引き締めます)。その後は編み方図1のように編んでいきます。毎段編始めの1目はすべり目にします。
1枚は298段、もう1枚は295段編んで、メリヤスはぎにします。289段からの編み方は編み方図2を参照してください。
○模様の編み方(p.104参照)
記号の位置で、1目表編みを編んでから(1目め)、aの穴に編み地の表から、右針を入れ、糸をかけて1目引っ張り出します(2目め)。糸を手前に出し(裏編みをするように)、右針を編み地の裏からbの穴に入れ、糸をかけて1目引っ張り出します(3目め)。c、e、gはaと同じに表から、d、f、hはbと同じに裏から針を入れて引き出します。初めに編んだ表目とa～hでかけた目の8目で9目右針にかかっています。次の段では、この9目を一度に裏編みにします。
表編みと裏編みの模様が11段ずつありますが、裏編みの模様は偶数段から始まっているので、11段ずつ同じ編み方です。

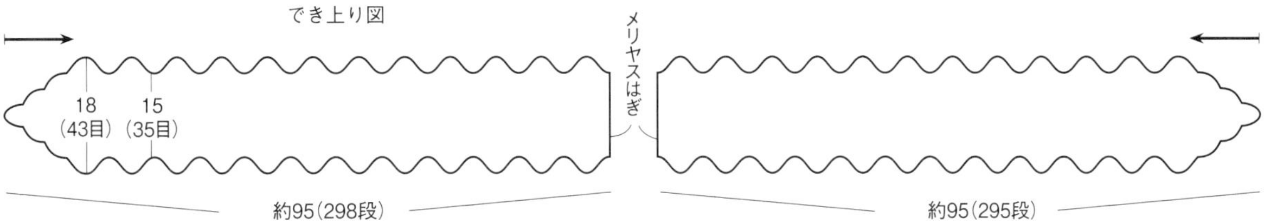

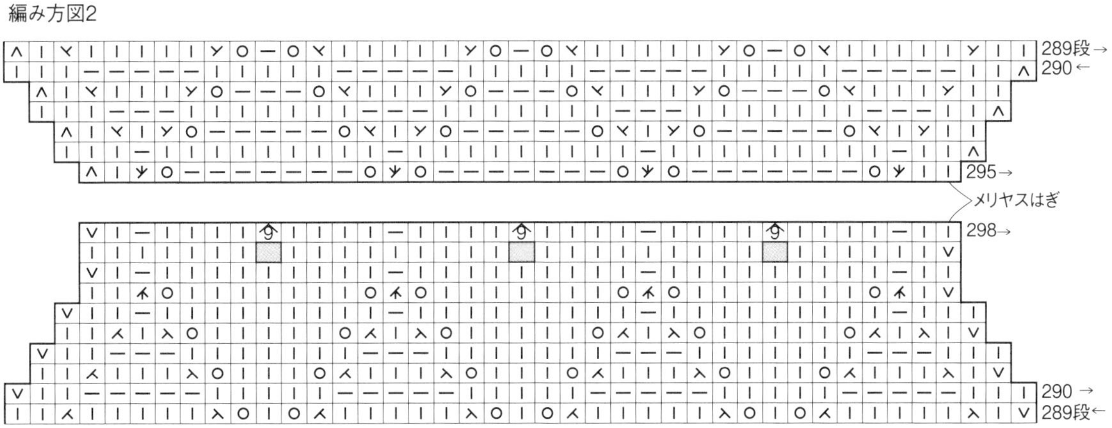

の編み方

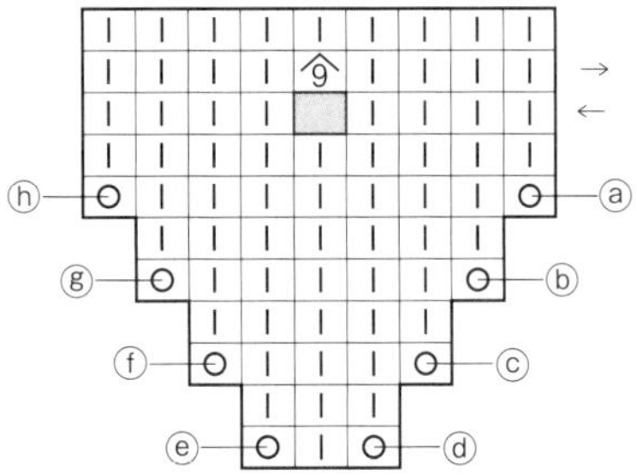

■の目で、まず表編みを1目編む(1目め)
ⓐの穴に編み地の表から右針を入れ、
表編みの要領で糸をかけて1目引き出す(2目め)
糸を手前にして右針を裏からⓑの穴に入れ、
裏編みの要領で糸をかけて1目引き出す(3目め)
ⓒ、ⓔ、ⓖ…ⓐと同じ要領
ⓓ、ⓕ、ⓗ…ⓑと同じ要領
次の段の9で最初にかけた1目とⓐ～ⓗの8目
を合わせて9目を一度に裏編みする

Y　変りイギリスゴム編み、ネガポジの柄入り

【材料】ハマナカリッチモア　アンゴラエイティの黒（3）75ｇ…Ａ糸、野呂英作　シルクガーデンのマルチカラー（245）110ｇ…Ｂ糸

【用具】6号2本棒針（両端がとがっている針）

【ゲージ】20目42段が10㎝四方

【でき上り寸法】幅約15.5㎝、長さ約183㎝

【編み方】

○模様編みの編み方（p.102参照）

ここでの引上げ編み（以下引上げ）は、すべり目してかけ目をする方法です。

1　棒針に直接目を作る1目ゴム編みの作り目で、Ａ糸を使って31目作ります（表目、裏目、表目、裏目～裏目、表目と31目を作り、袋編みをする）。

2　《表面を見て1段め（Ａ糸）》 表編み（以下表）2目、"引上げ、表"×13回、引上げ1目、表2目。

3　《表面を見て2段め（Ｂ糸）》 すべり目2目、"裏編み（以下裏）、引上げ"×13回、裏1目してＢ糸を向うにおいてすべり目2目

4　《編み地を返して裏面を見て3段め（Ａ糸）》 裏2目、"引上げ、裏"×13回、引上げ1目、裏2目。

5　《裏面を見て4段め（Ｂ糸）》 すべり目2目、"表、引上げ"×13回、表1目、Ｂ色を手前においてすべり目2目。以上の4段が基本の編み方です。

6　《編み地を返して表面を見て5段め（Ａ糸）》 表2目、"引上げ、表"×13回、引上げ1目、裏2目（ここから色の見え方が変わってくる）。

7　《表面を見て6段め（Ｂ糸）》 すべり目2目、"裏、引上げ"×13回、表1目、糸を手前においてすべり目2目。

8　《編み地を返して裏面を見て7段め（Ａ糸）》 表2目、"引上げ、裏"×13回、引上げ1目、裏2目。

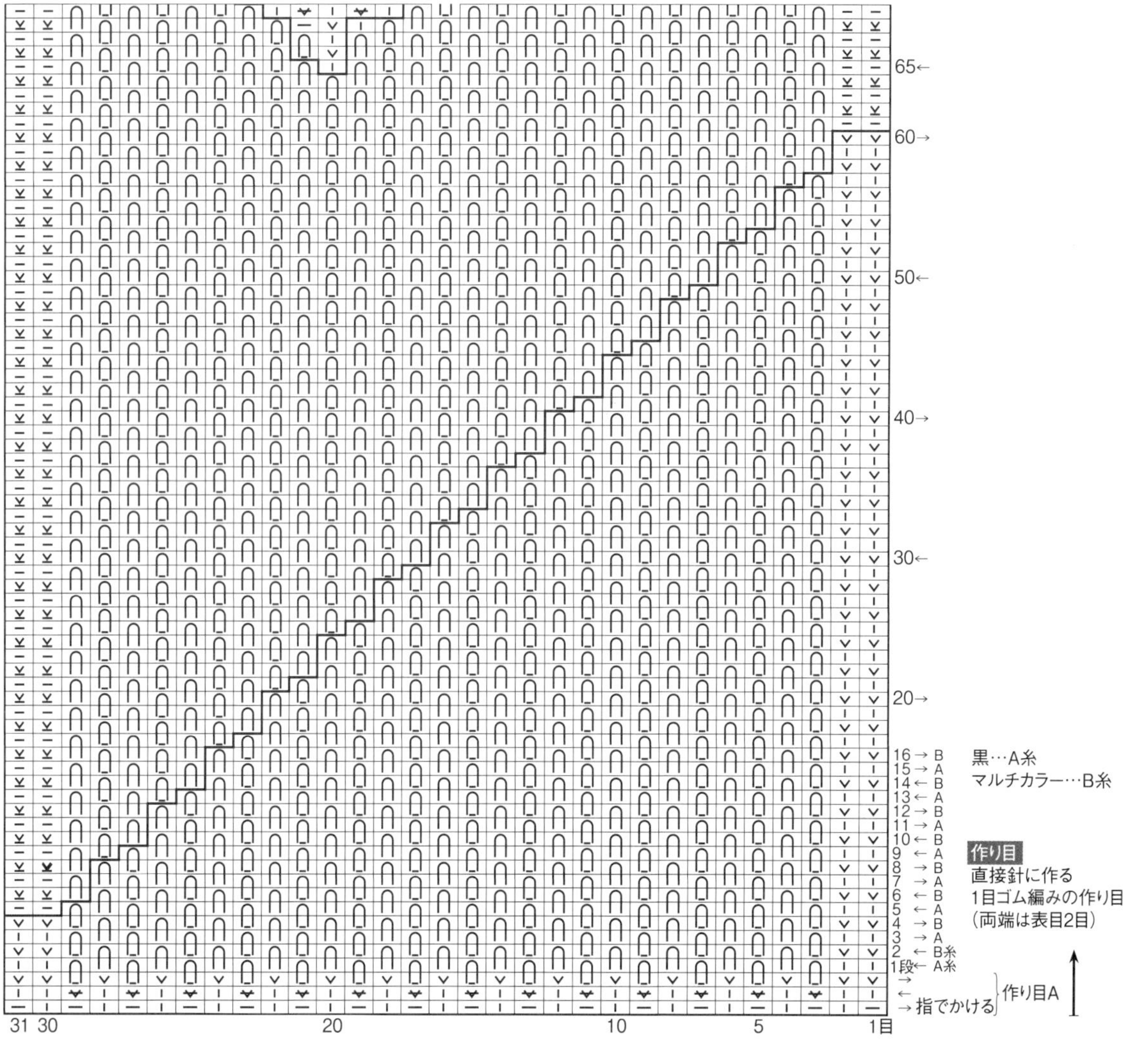

9 《裏面を見て8段め（B糸）》すべり目2目、裏1目、“引き上げ、表”×13回、糸を手前においてすべり目2目。

10 《編み地を返して表面を見て9段め（A糸）》表2目“引上げ、表”×12回、引上げ1目、裏1目、引上げ1目、裏2目

11 《表面を見て10段め（B糸）》すべり目2目、“裏、引上げ”×12回、表1目、引上げ1目、表1目、糸を手前においてすべり目2目。

12 《編み地を返して裏面を見て11段め（A糸）》表2目、引上げ1目、表1目、“引上げ、裏”×12回、引上げ1目、裏2目

13 《裏面を見て12段め（B糸）》すべり目2目、裏1目、引上げ1目、裏1目、“引上げ、表”×12、糸を手前においてすべり目2目。

14 60段めまでこの要領で4段2目ずつ変化させながら編んでいきます（編み方図参照）。

15 712段めまではイギリスゴム編みを編みますが、好みの場所で所々にダイヤ柄を入れます（下図、p.103参照）。

16 713段めからは編み方図を参照して編みます。

17 768段めまで編み、769、770段めはA色のみで編み、A色で1目ゴム編み止めをします（表目は引上げ目なので、かけ目も一緒に止めます）。

注：B糸の段の編終りは、すべり目の手前で糸を向うや手前に出しますが、B糸の最後の目が、表目のほうへ糸を持っていってから2目すべり目します。

B糸最後の目が表目なら、表目を編んで手前に出し、2目すべり目します。

裏目なら裏目を編んで向うにもっていき、2目すべり目します。

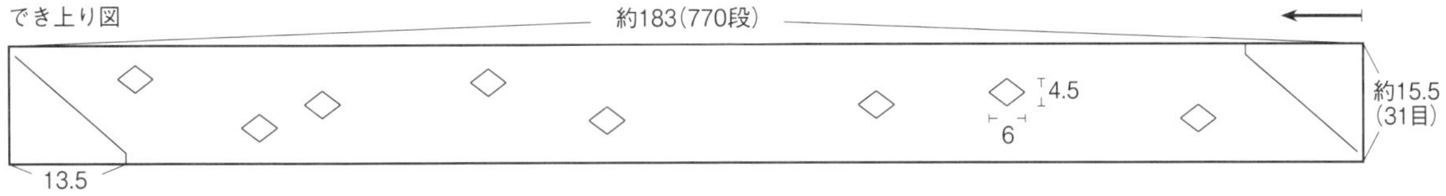

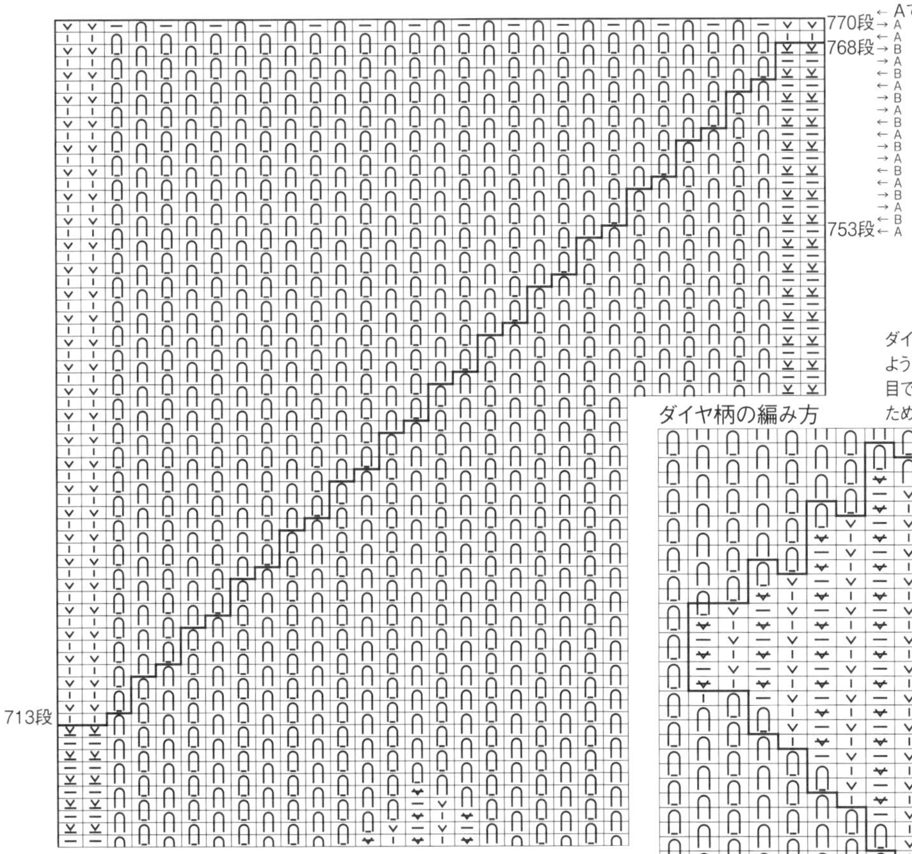

70～702段は省略

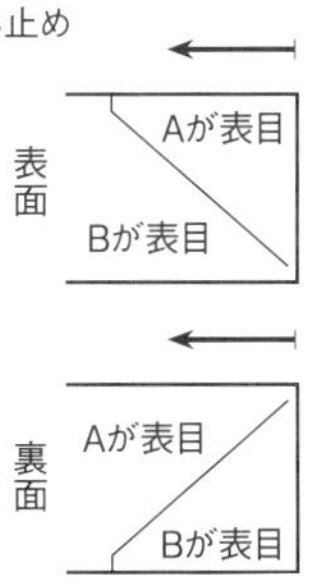

ダイヤ柄の編み方は下の編み方図のように表編み、裏編み、すべり目、浮き目で編むが、ダイヤの形をきれいにするために、所々引上げ目にしている

ダイヤ柄の編み方

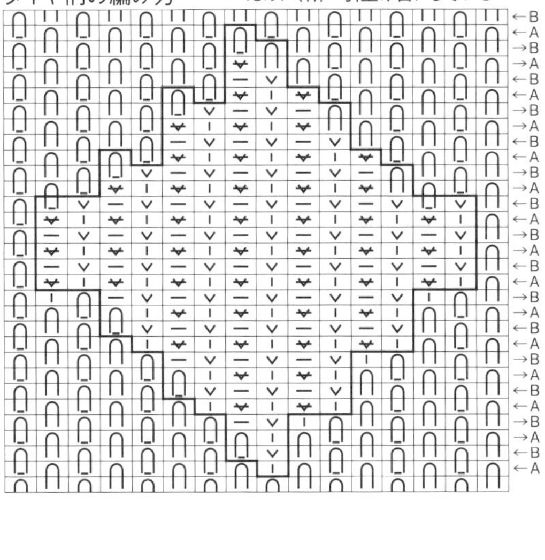

編み目記号と編み方

｜ 表目

①

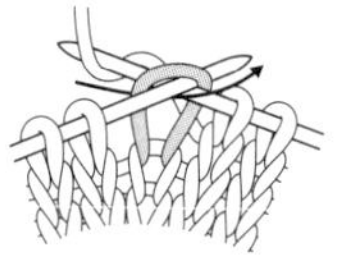

糸を向う側におき、手前から右針を左針の目に入れる。右針に糸をかけ、矢印のように引き出す

②

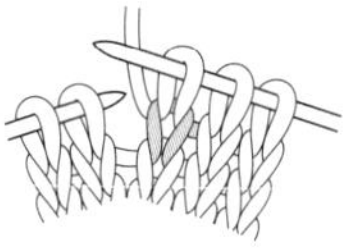

引き出しながら、左針から目をはずす

ー 裏目

①

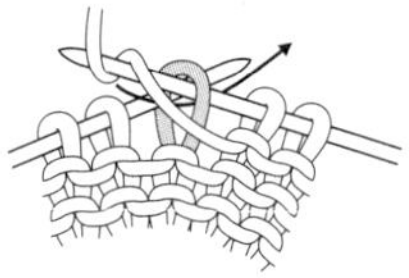

糸を手前におき、左針の目の向う側から右針を入れる。右針に糸をかけ、矢印のように引き抜く

②

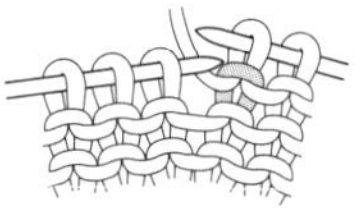

引き出しながら、左針から目をはずす

入 右上2目一度（表目）

①

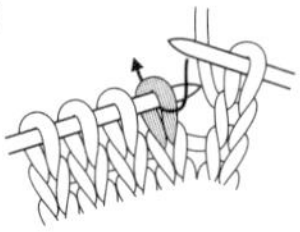

編まずに手前から右針に移す

②

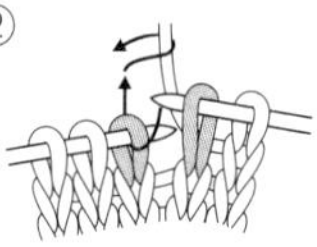

次の目を編む

③

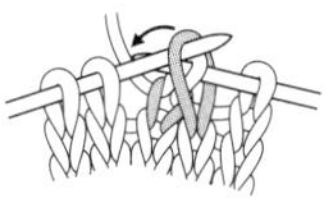

移した目を編んだ目にかぶせる

④

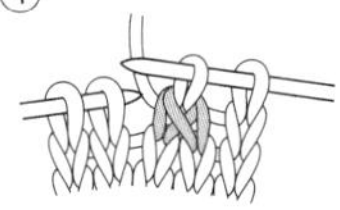

1目減し目

人 左上2目一度（表目）

①

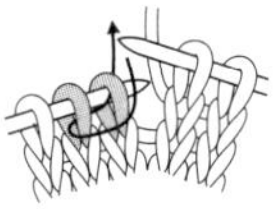

2目一緒に手前から入れる

②

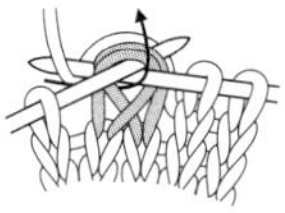

糸をかけて編む

③

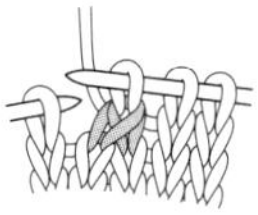

1目減し目

入 右上2目一度（裏目）

①

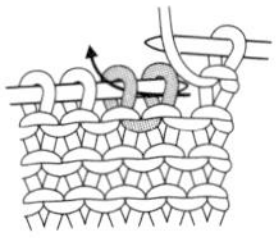

編まずに2目右針に移す

②

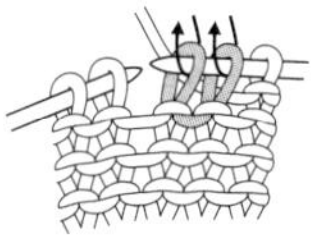

移した目に矢印のように針を入れ、向きを変えて左針に戻す

③

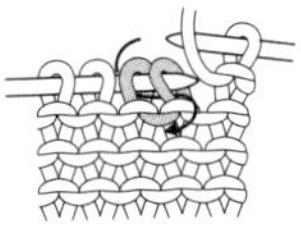

2目一緒に矢印のように右針を入れ、編む

④

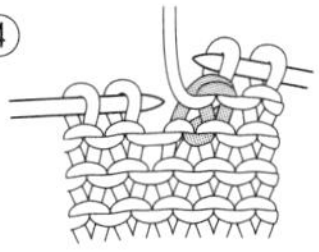

1目減し目

人 左上2目一度（裏目）

①

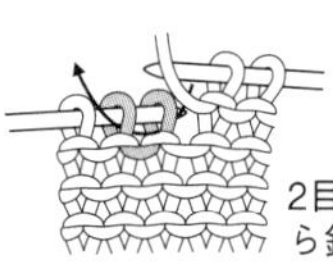

2目一緒に向う側から針を入れる

②

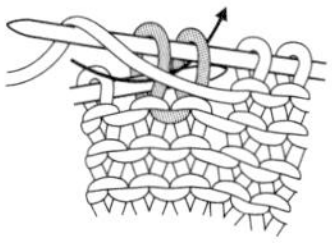

糸をかけて編む

③

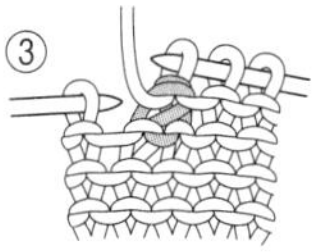

1目減し目

木 左上3目一度

①

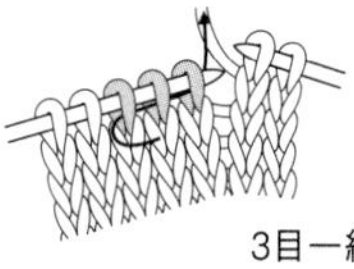

3目一緒に手前から右針を入れる

②

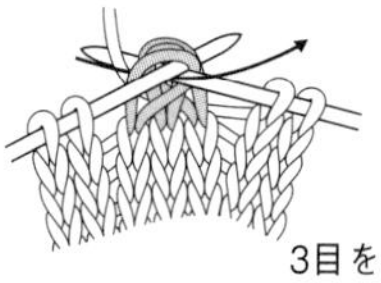

3目を一緒に編む

③

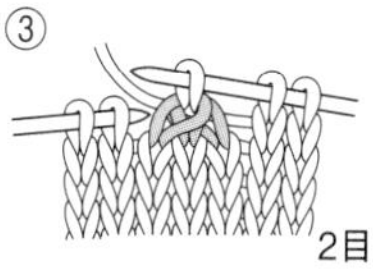

2目減し目

○ かけ目

①
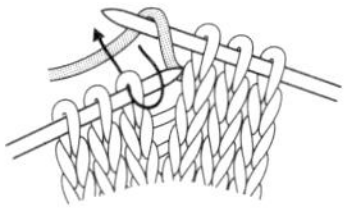

右針に糸をかけ、次の
目に右針を入れる

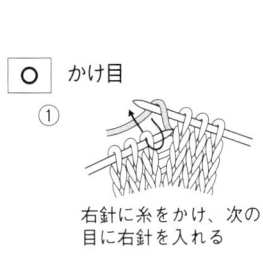

②
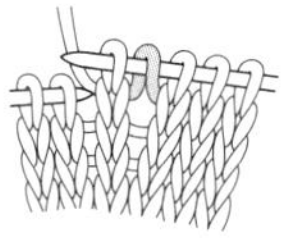

1目編んだところ

③
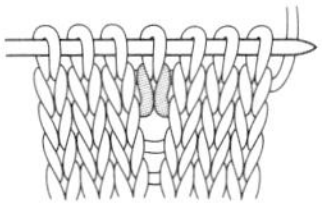

次の段を編むと、かけ
目のところに穴があく

∨ すべり目

①
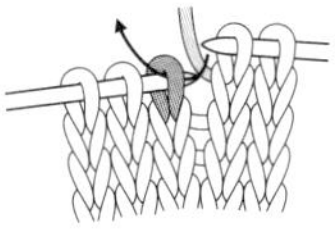

糸を向う側におき、編
まずに1目右針に移す

②
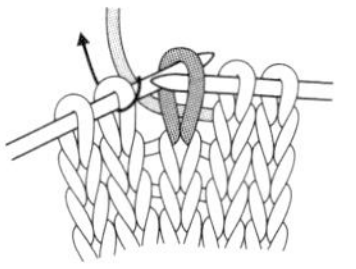

次の目を編む

③
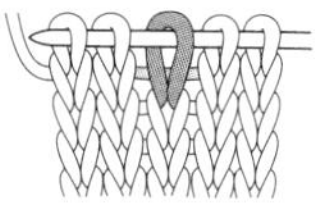

浮き目

①
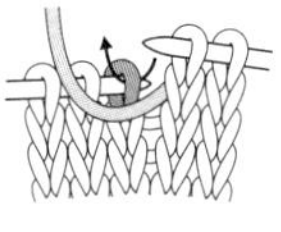

糸を手前におき、編ま
ずに1目右針に移す

②
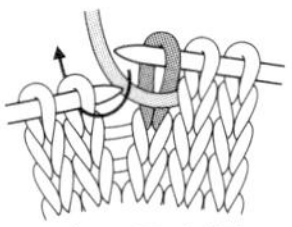

次の目を編む

③
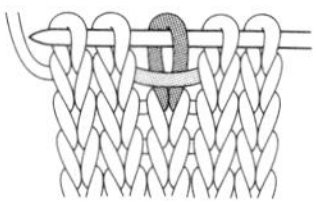

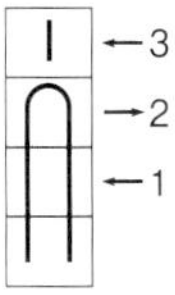

引上げ編み(3段の場合)

①
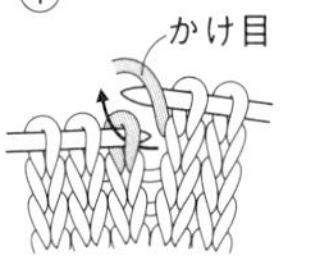

1段め　かけ目して、
次の目をすべり目する

②
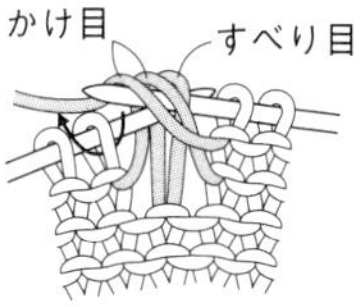

2段め　かけ目して
すべり目、次の目
は裏編みをする

③
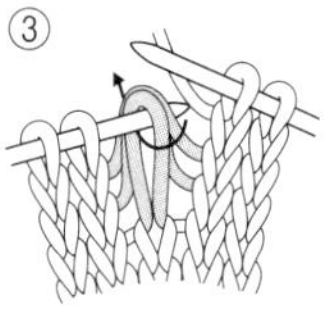

3段め　すべり目と
かけ目を一緒に編む

④
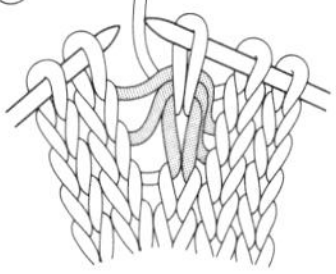

ねじり増し目(1目増)

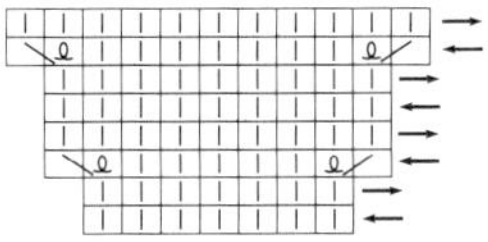

右端

①
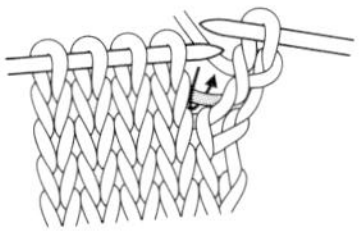

よこ糸を矢印のように
すくって左針にかける

②
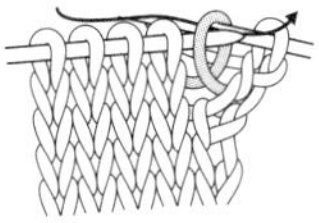

かけた糸の向う側に右針
を入れ、表編みをする

③
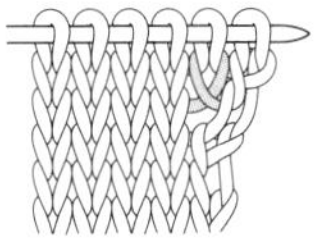

左端

①
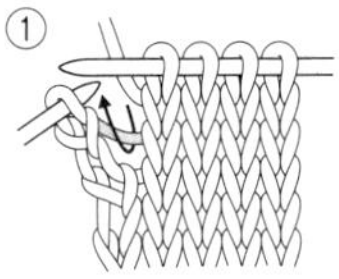

よこ糸を矢印のように
すくって左針にかける

②
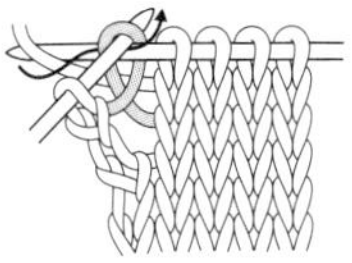

図のようにに右針を入れ、
表編みをする

③
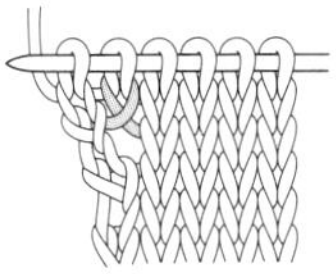

作り目

●指で針にかける作り目

①

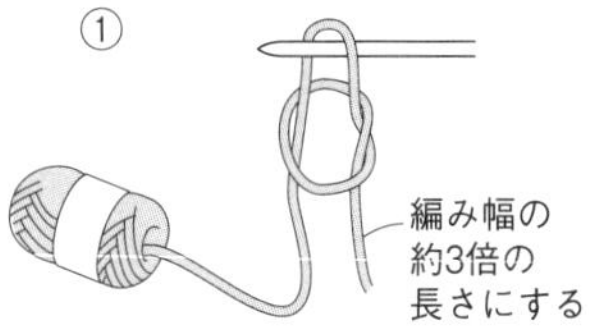

1目めを指で作って
針に移し、糸を引く

②

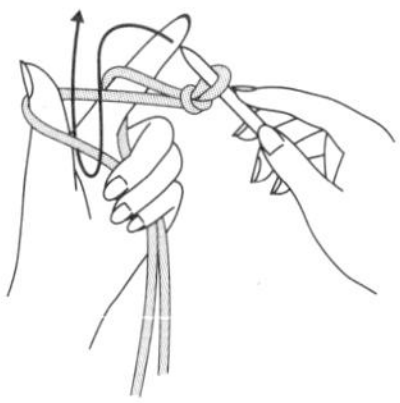

親指側から矢印の
ように針を入れる

③

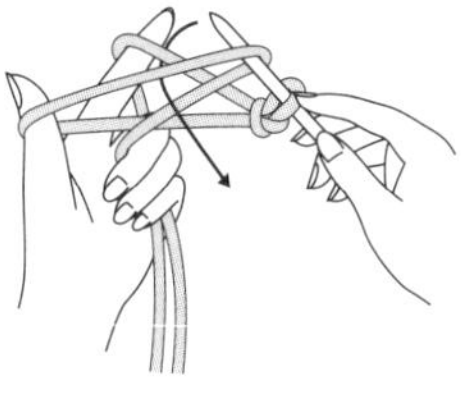

人さし指にかかって
いる糸を針ですくう

④

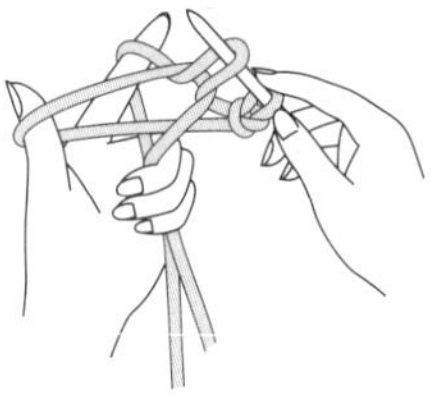

糸を引き出す

⑤

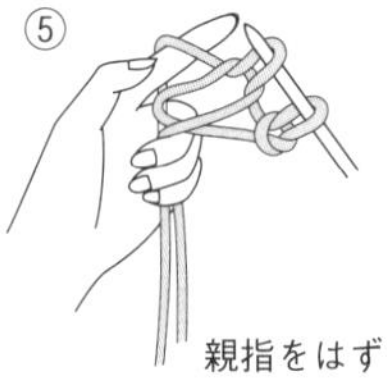

親指をはずす

⑥

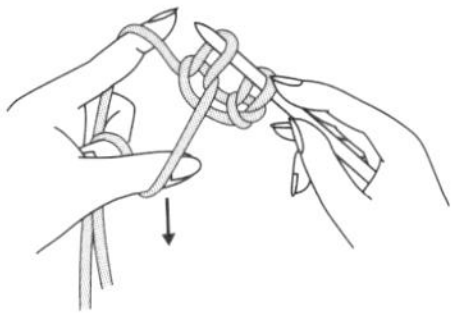

親指をかけて糸を下方に
引く。2目めのでき上
り。②～⑥を繰り返す

⑦

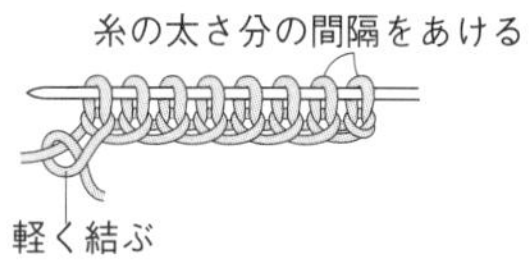

必要目数のでき上り。
この棒針を左手に持ち
替えて2段めを編む

●かぎ針で棒針に編みつける方法(そのまま仕上げ線にする)

①

かぎ針に鎖を1目作り、左手
に糸をかけて棒針を持つ

②

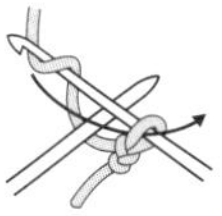

棒針の向う側に糸をおき、か
ぎ針に糸をかけて引き出す

③

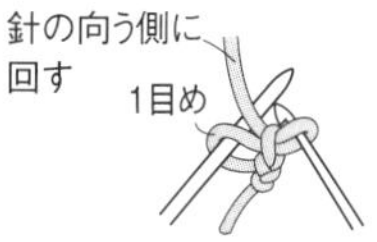

④

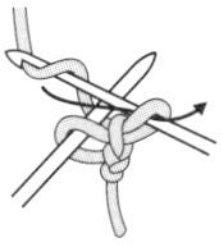

かぎ針に糸をかけて、
矢印のように引き抜く

⑤

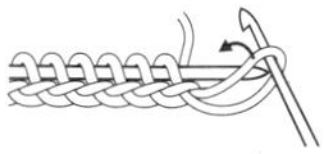

最後のかぎ針の目
を棒針に移す

●かぎ針で棒針に編みつける方法(目と目の間に鎖3目作る)

①

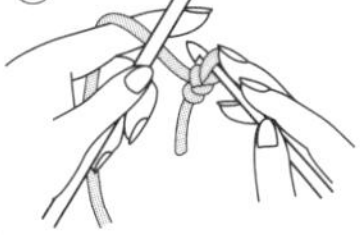

かぎ針に鎖を1目作り、左手
に糸をかけて棒針を持つ

②

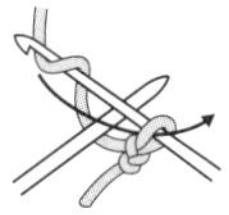

棒針の向う側に糸をおき、か
ぎ針に糸をかけて引き出す

③

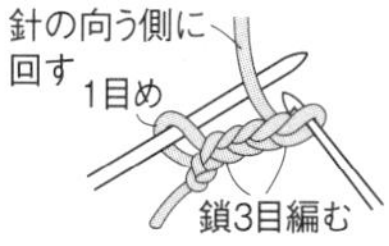

④

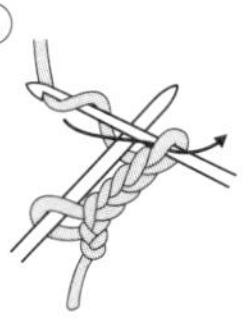

かぎ針に糸をかけて、
矢印のように引き抜く

⑤

●別鎖の作り目(後でほどける)

①

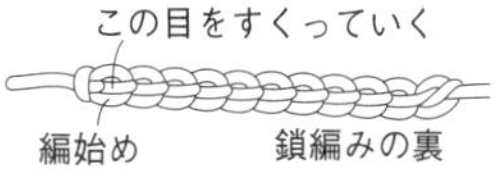

②

③

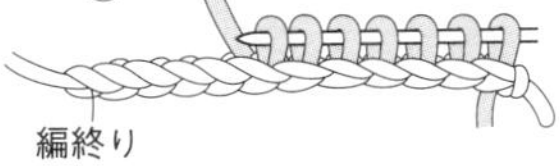

④

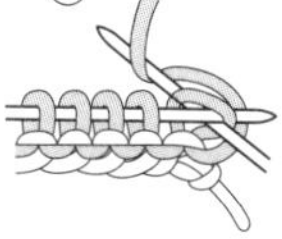

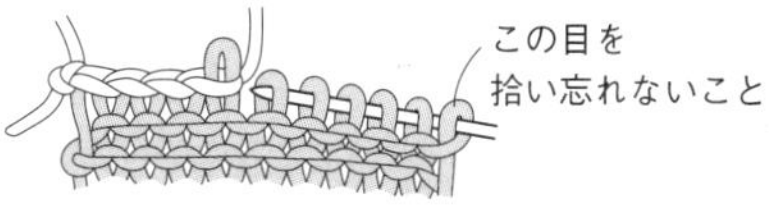

●直接針に作る1目ゴム編みの作り目

①

矢印のように針をくぐらせ、表目(1目め)を作る

②

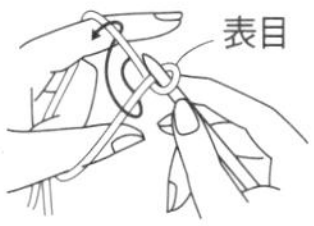

矢印のように針をくぐらせ、裏目(2目め)を作る

①②を繰り返して必要目数を作る

③1段め

針を持ち替えて、表目、すべり目を交互に編み、最後の2目は表目で編む

④2段め

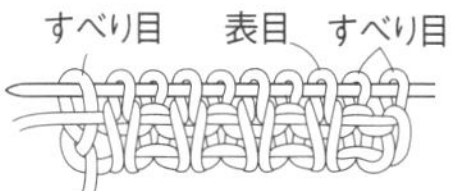

針を持ち替えて、始めの2目はすべり目し、あとは表目と交互に編む

2目ゴム編みにする場合(両端端表目2目)

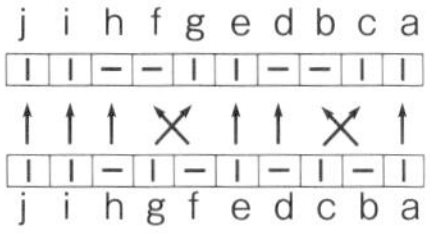

⑤3段め

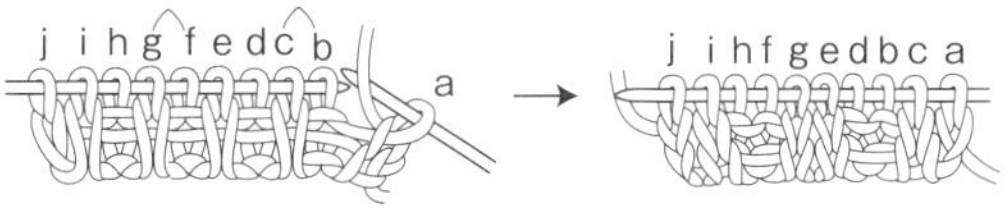

針を持ち替えて、この段から2目ゴム編みの状態に目を入れ替えて編む

裏目から始める場合

①

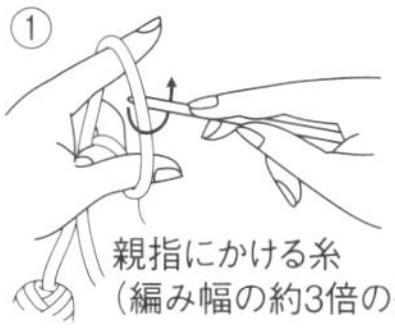

親指にかける糸
(編み幅の約3倍の長さ)

②

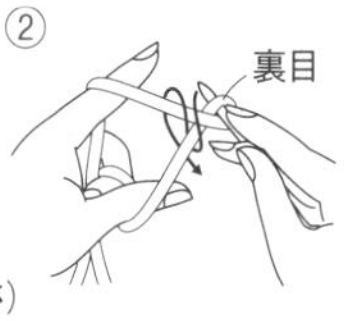

止め

伏止め

●表目

①

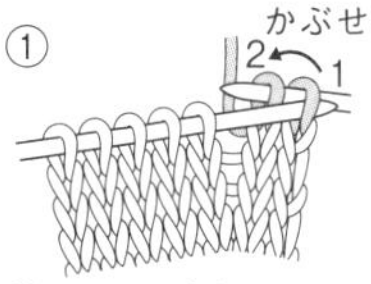

端の2目を表編みし、1の目を2の目にかぶせる

②

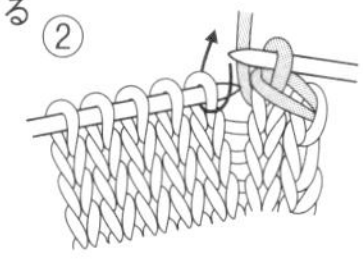

次の目を表編み

③

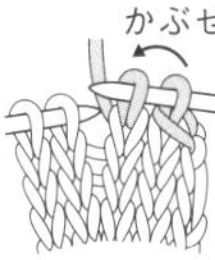

②、③を繰り返す

④

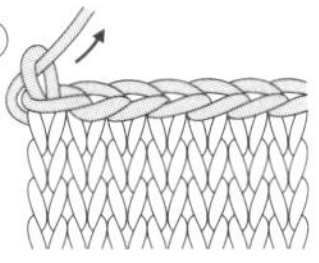

最後の目に糸端を通して、目を引き締める

●裏目

①

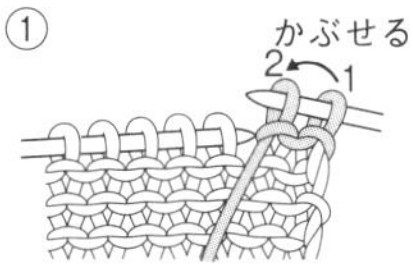

端の2目を裏編みし、1の目を2の目にかぶせる

②

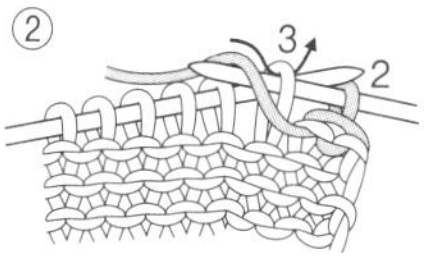

3の目を裏編みして、2の目をかぶせる

③

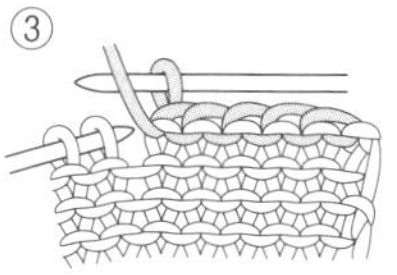

②を繰り返す

巻止め

①

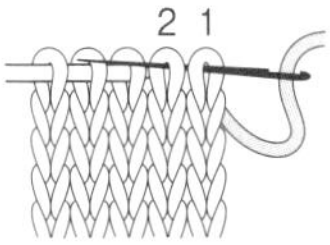

端の2目に図のように針を入れる

②

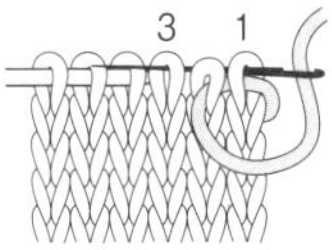

戻って、1の目と3の目に針を入れる

③

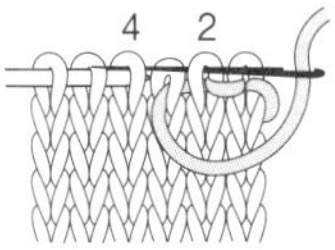

戻って、2の目と4の目に針を入れる

2目ゴム編み止め(両端表目2目)

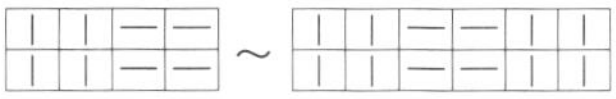

①

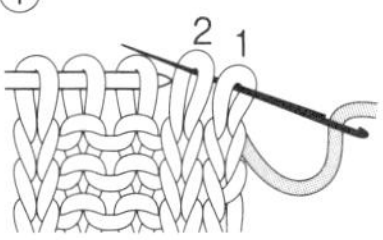

1の目は手前から、2の目は向う側から針を入れる

②

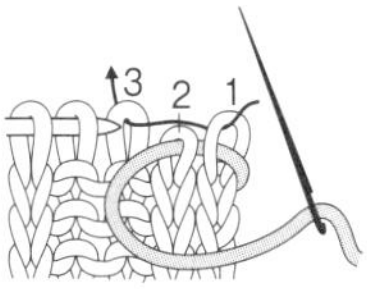

1の目に戻って手前から針を入れ、3の目の向う側に針を出す

③

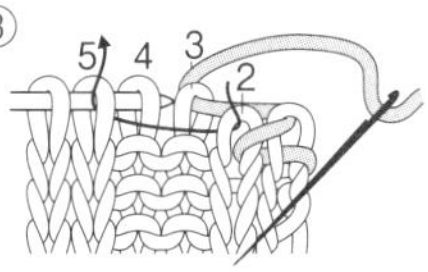

2の目に戻って手前から針を入れ、3、4の2目をとばして5の目に針を出す

④

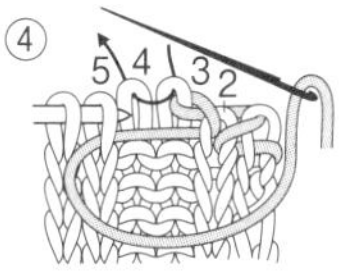

3の目に戻って向う側から、4の目は手前から針を入れて出す

⑤

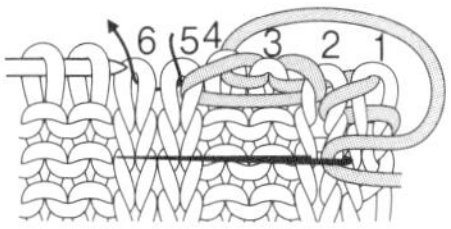

5の目は手前から、6の目は向う側から針を入れる

⑥

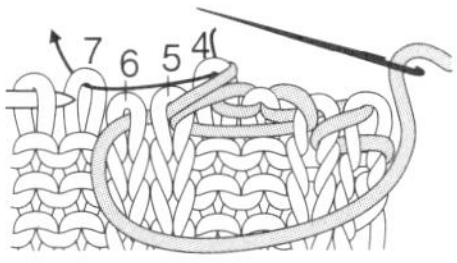

4の目に戻って向う側から、7の目は手前から針を入れて出す。③～⑥を繰り返す

⑦

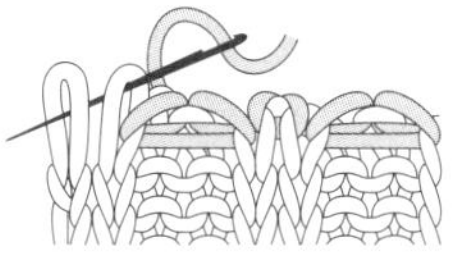

端は表目2目に図のように針を入れて出す

⑧

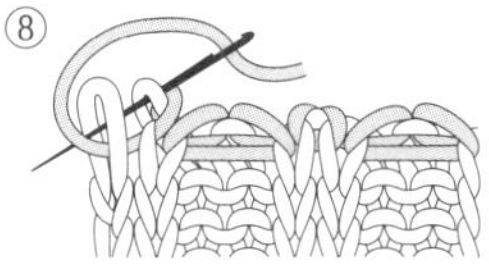

裏目と端の表目に針を入れて引き抜く

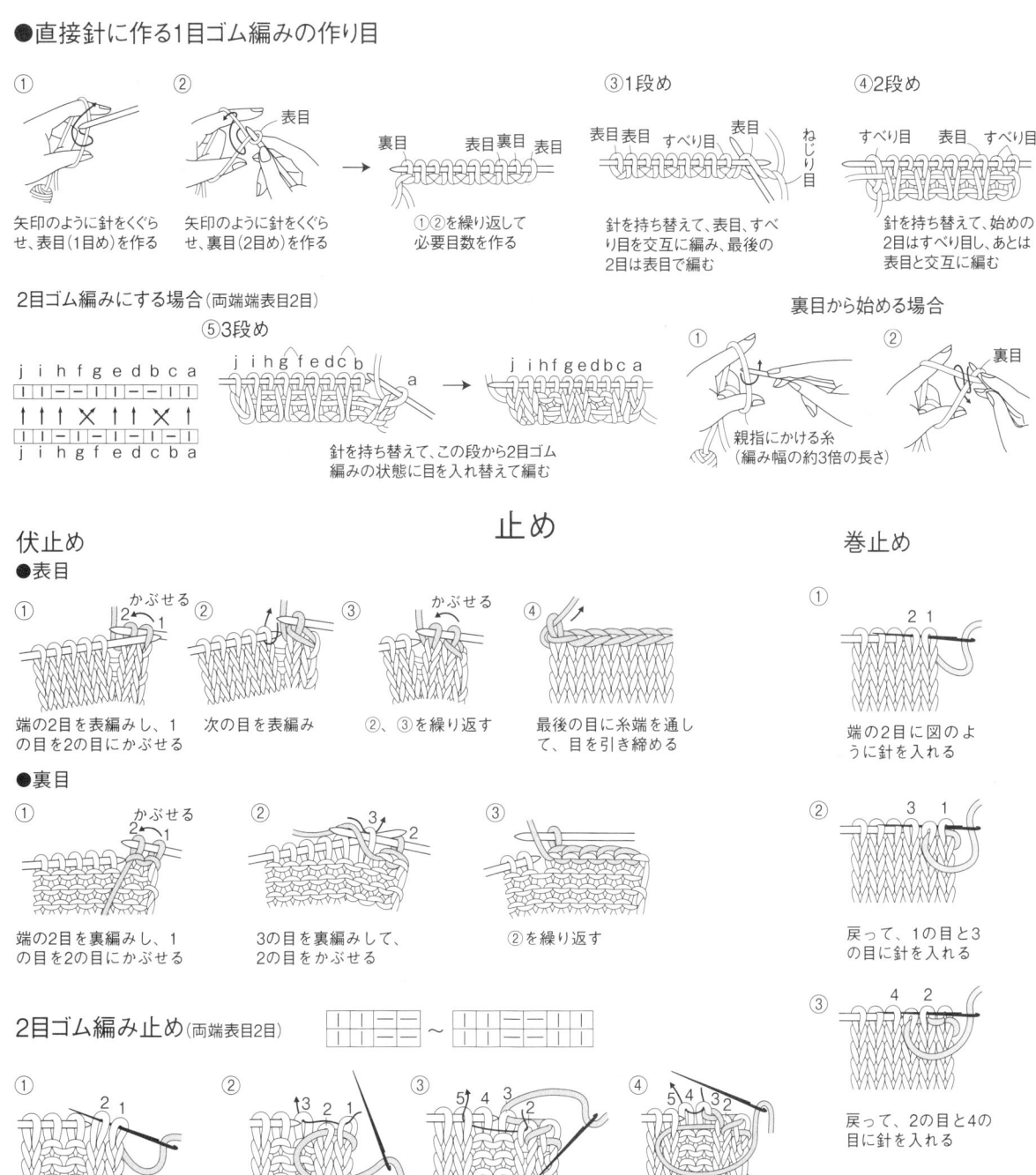

はぎ

●メリヤスはぎ

①

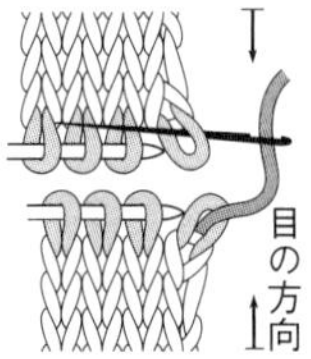

下の端の目から糸を出し、上の端の目に糸を入れる

②

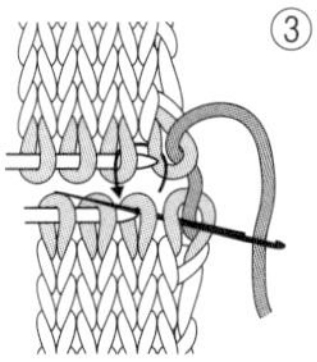

下の端の目に戻り、図のように針を入れ、さらに矢印のように続ける

③

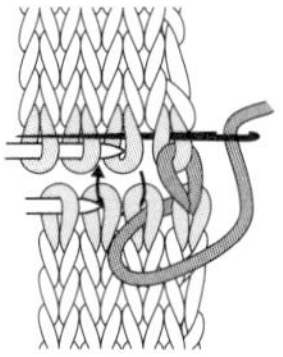

図のように針を入れ、さらに矢印のように続ける

④

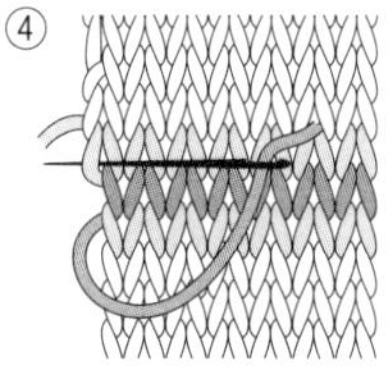

②、③を繰り返し、最後の目半目に針を入れて抜く

●コの字はぎ

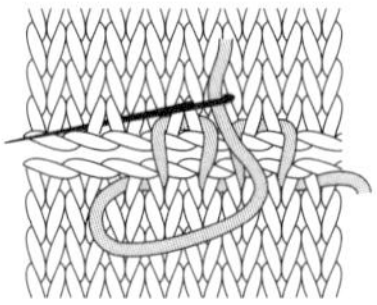

編込み模様

●裏に糸を渡す方法

①

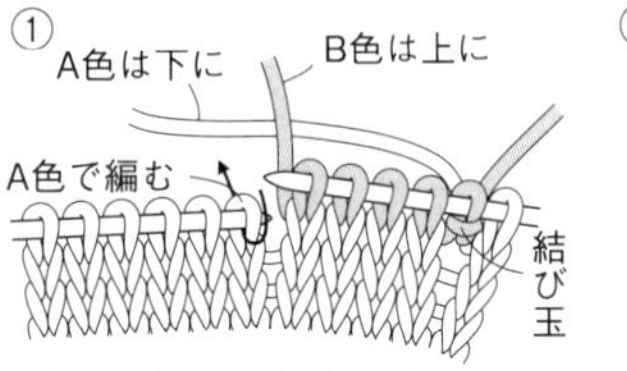

B色の編始めは結び玉を作って右針に通してから編むと、目がゆるまない。結び玉は次の段ではずし、ほどく

②

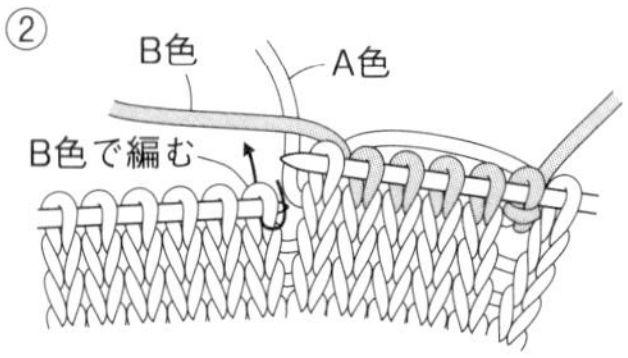

裏に渡る糸は編み地が自然におさまるように渡す。引きすぎないこと

●裏に糸を渡さない方法

①

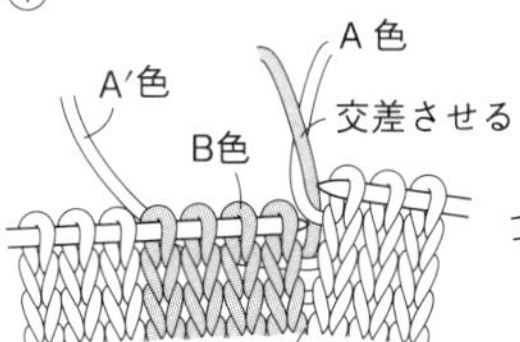

すき間があかないように

②

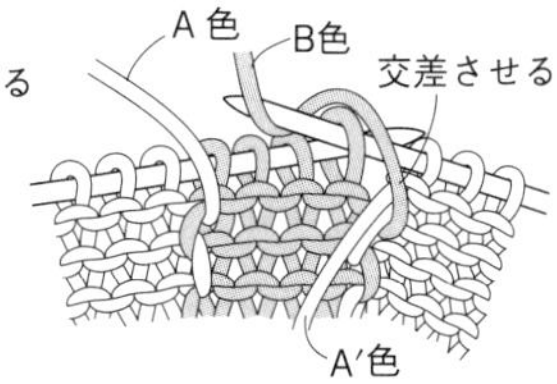

《作品に使用した糸の紹介》

各作品の糸をご紹介します。太さや長さなどをご自分で編むときの参考にしてください。

作品番号	A	B	CTX	D	EK	FGLOP	H	I	J	M
メーカー	ハマナカリッチモア	ハマナカ	ホビーラホビーレ	ハマナカ	オステルヨートランド	シェットランド製フェアアイル毛糸	ハマナカリッチモア	ハマナカ	パピー	ハマナカリッチモア
糸名	スターメ	ソノモノ スラブ《並太》	モヘヤポージー	オフコース!	オンブレ、 キャラメル	2プライ・ジャンパー・ウエイト・中細タイプ	カシミヤメリノ	純毛中細	パピーニュー2PLY	キャメルツイード
仕立て	50g	40g	40g	50g	100g	25g	40g	40g	25g	25g
長さ	100m	85m	135m	96m	300m	118m	100m	160m	215m	85m
太さ	極太	並太	合太	並太	合太	中細	並太	中細	極細	合太
品質	ウール 50% アクリル 30% アルパカ 20%	ウール 100%	モヘヤ 46% ウール 19% アクリル 19% ナイロン 9% ポリエステル 7%	ウール 30% アルパカ 20% アクリル 50%	ウール 100%	ウール 100%	ウール 70% カシミヤ 30%	ウール 100%	ウール 100%	キャメル 100%

作品番号	N	Q	R	S	U	V	W	Y	Y
メーカー	パピー	野呂英作	ハマナカ	アヴリル	アヴリル	パピー	ハマナカリッチモア	ハマナカリッチモア	野呂英作
糸名	ボーボリ	くれよん	ツイードバザール	綿モール手紡	モヘアタム手紡	シェットランド	モラ	アンゴラエイティー	シルクガーデン
仕立て	40g	50g	25g	10g	10g	40g	40g	20g	50g
長さ	110m	100m	65m	33m	22m	90m	180m	65m	100m
太さ	合太	並太	並太	並太	並太	並太	合太	並太	並太
品質	ウール 58% モヘヤ 25% シルク 17%	ウール 100%	ウール 100%	綿 100% (10g 単位売り)	モヘア 70% ウール 10% ナイロン 20% (10g 単位売り)	ウール 100%	毛 68% ナイロン 32%	毛 80% ナイロン 20%	毛 55%(キッドモヘア 82% ラムウール 18%) 絹 45%

F ジグザグ模様のリバーシブル編み《 how to knit p.60 》

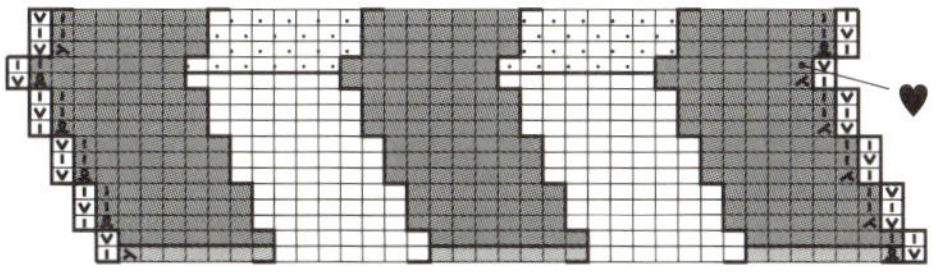

A 面

■…A色（ミックス茶）

□…B色（赤）

⋰…C色（ミックス緑）

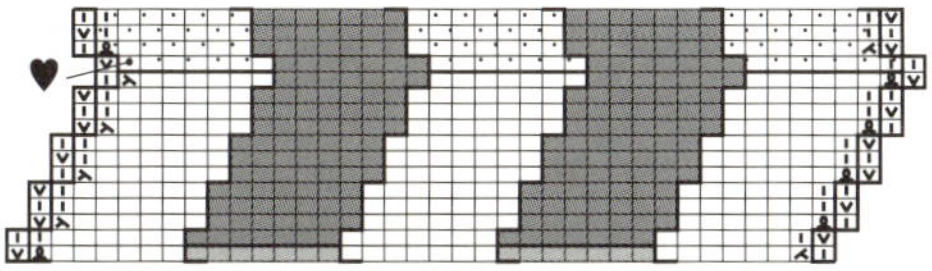

B 面

端の目は2本（A色、B色）を一度にすべり目にする

色変えの位置（♥）では、B色の糸を切って、C色を根元に結ぶ。糸端は残しておいて後で編み地の中に入れ込んで始末する

A色の目に針を入れてA色で表編み

B色の目に針を入れてC色で裏編み

A色とC色を交互に編む

B色の目の上にC色の目が編まれていく

J 両面違う柄の2色づかい ビーズニッティング《 how to knit p.68 》

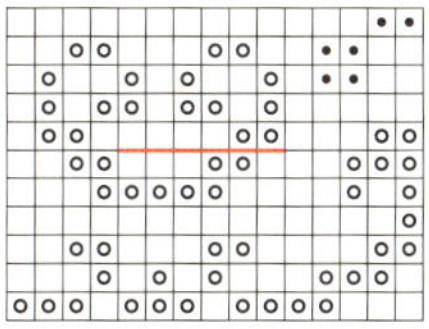

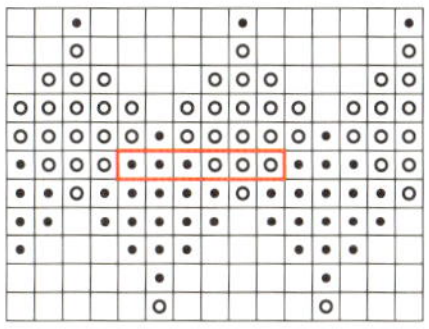

○…パール白

●…オーロラ青

2本の糸それぞれにパール、オーロラビーズを適宜通しておく

パールを編むときは1粒針に寄せ、オーロラを針から遠ざける

2本を引きそろえて1目編む

オーロラを編むときはオーロラを寄せてパールを針から遠ざける

2本引きそろえて1目編む

裏側にパール3粒、オーロラ3粒編めたところ

手前側にはビーズは見えない

H　リバーシブル編みのアラン模様、アイコードつき《 how to knit p.64》

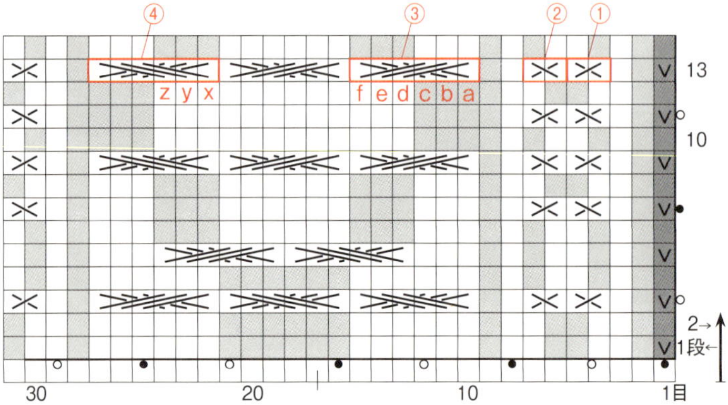

…A色（茶色）　A面の目　a〜f、x〜z（表目）

…B色（モスグリーン）　B面の目　a′〜f′、x′〜z′（裏目）

❶ 左上1目交差編み

始めの2目を別針にとって向うにおく

次の2目の1目を表編み

糸とともに別針も手前に持ってきて次の目を裏編みにする

別針の2目をそれぞれの糸で表目、裏目と編む

❷ 右上1目交差編み

1目めを1本の別針に移し、手前におく。2目めをもう1本の別針に移して向うへおく

この状態で次の2目をそれぞれの糸で編む

手前の別針の目を表編みで編む

向う側の別針の目を裏編みにする

❸ 3目×3目左上交差編み

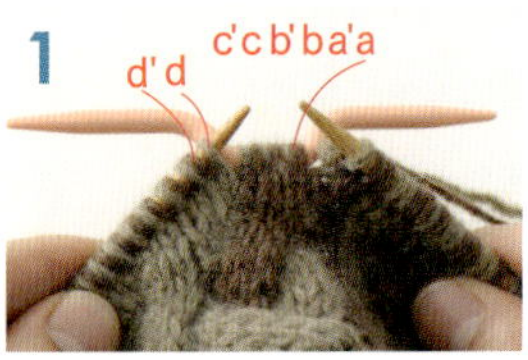

3目分（実は6目 aa'bb'cc'）を別針にとって向う側へおく

dを表編み

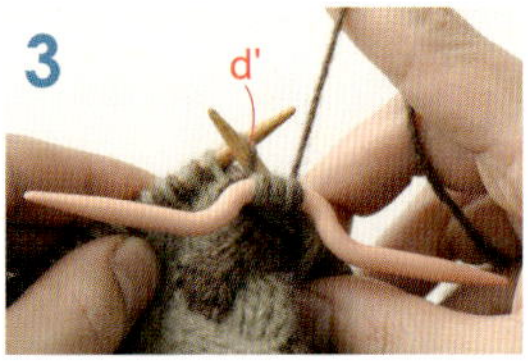

糸とともに別針を手前に持ってきて d' を裏編みにする

別針を向うにして、e を表編み、を繰り返して3目分（実は6目）編む

別針の6目 aa'bb'cc' をリバーシブル編みにする

3目の交差のでき上り

❹ 3目×3目右上交差編み

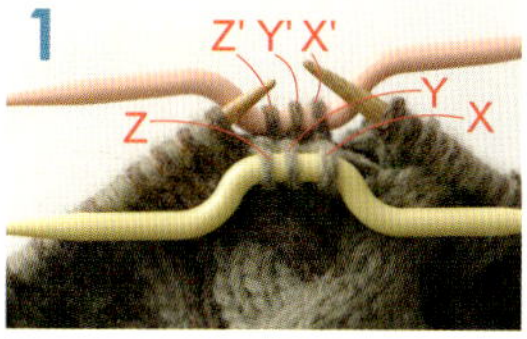

XYZ と X' Y' Z' をそれぞれの別針に分けて移す。別針手前は表目3目、向う側は裏目3目

左針の次の3目分（実は6目）をリバーシブル編みする

手前の別針から X を表編み

向う側の別針から X' を裏編み

YY'ZZ' と別針の目を交互に編んでいく

● アイコードのねじり縁編み

別鎖の作り目から茶色で4目拾い、編み地を棒の右側に送る。以後これをAとする

糸は後ろから渡して4目編む。この繰返しで5段編む

本体の長辺の中央あたりの1目めと2目めの間に針を入れ、アイコード右端の目を編む

その目を本体から引き抜く。続けて左端まで編む

モスグリーンで別鎖の作り目をし、Aの左側に移し替える。以後これをBとする

A、Bともにあと5段編む

3本めの針にBを移し替え、Aをよけておき 3、4 と同じように本体につけて Bの右端目を編む

続けて左端まで編み、Aも1段編む。Bの針にかける

あと5段編む

Aを別針に移し、本体とつなぐ（7～9 と同じ）

ABを交互にねじりながら本体につなげていく。最後は編始めの別鎖をほどきメリヤスはぎ

アイコードの
ねじり縁編み

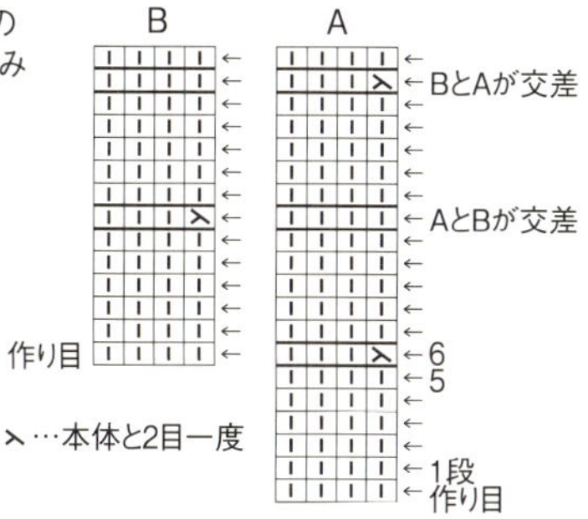

⋏…本体と2目一度

M かのこ編みにくりくりカールしたフリンジ 《how to knit p.65》

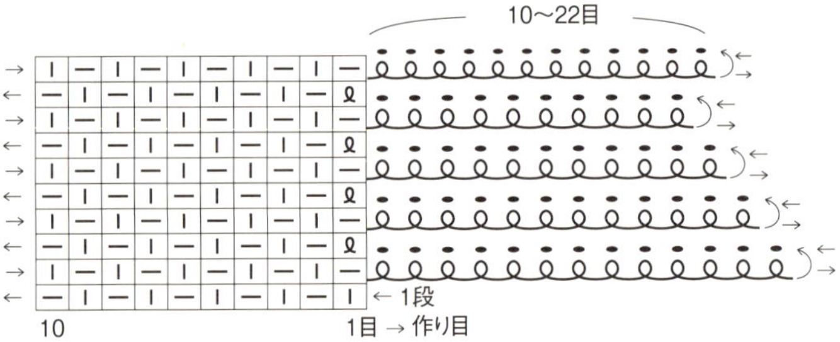

段の方向のフリンジは編始め側に作るので、端まで編んで編み地を返す

かのこ本体の1目め（●）に針を入れ、表目１目編む

引っ張り出す

その目に左の針を下から入れる

右針を抜き、目を締める

右針にできた目に針を入れてもう一度同じことを繰り返す

10回（好みの目数）繰り返す

右針を7号針に替えて、伏止めをする。伏始めの目も編んでかぶせる。ゆるめに伏せることでくりくりとなる

9目伏せ、最後の目を伏せる前に、右針を3号に替え、かのこ本体の1目め（●）をねじり目にして編んで伏せる

編終りと編始めの、目の方向のフリンジも同じように1目ごとに作る

編終り、編始めのフリンジ

段の方向のフリンジと同様に作り目をして伏せていく。最後の目（かのこ本体の目）も同様にねじり目にして編むが、かのこ編みになるように、表目、裏目に編む。フリンジ1本できた状態（右針に1目、左針に 30 目）で左針の最初の1目を右針に移し、右側の目をかぶせる。残った右針の目を左針に戻し、再びフリンジを作る。編始めは別鎖をほどき、同様にしてフリンジを作る。

N 総ボッブル柄にグラデーションのフリンジ 《 how to knit p.76》

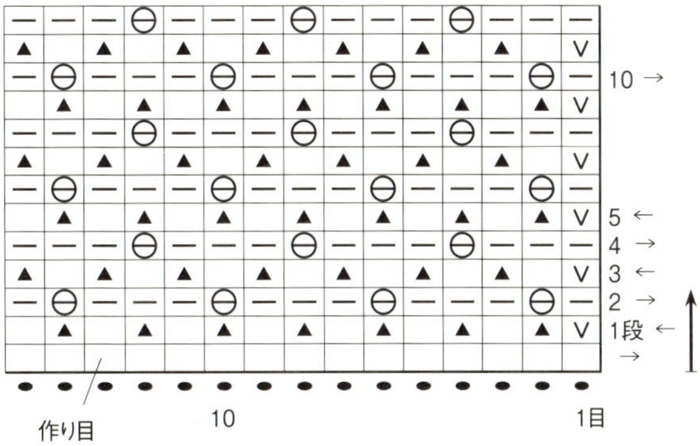

●フリンジ▲の編み方

ここまでは2本どり、ここからは1本どりで編む。2本針では編みにくいので、新しい針を入れて表編みをする

編んだ糸を引き出す

左針でこの目を下からすくい、右針から抜く

左針の1目めと2目めの間に針を入れ、表編みをする。3 のように左針に移す

4 を繰り返し、指定の目数を編む。最後の目は左針にかける

端の目から編んで伏止め、を繰り返す。起点の目（●）の手前まで伏せる

右針の目を最初に使っていた右針に移す。2本針、2本どりに戻し、起点の目（●）から１目編み右の目をかぶせる

●ボッブル⊖の編み方

起点の目（●）に針を入れて表編みにして引き出す

引き出した目に左針を下から入れて左針に移す

右針を同じ目（●）に入れ糸をかけて引き出し、左針を下から入れずにそのまま左針に移す

3 と同様にもう1目作り合計3目目を作る

伏止めをする（1目めも編む）。起点の目（●）までする

Y 変りイギリスゴム編み、ネガポジの柄入り《 how to knit p.90 》

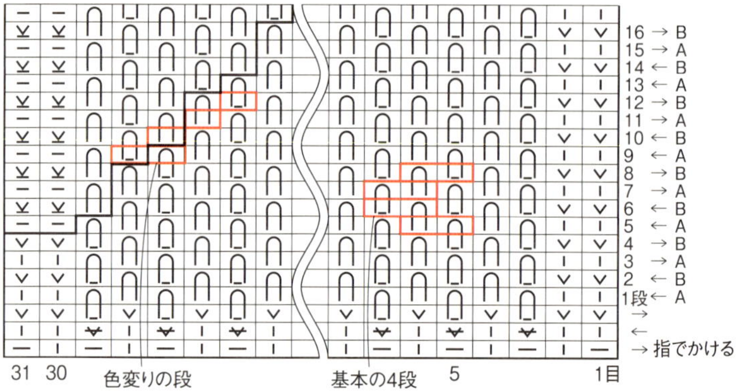

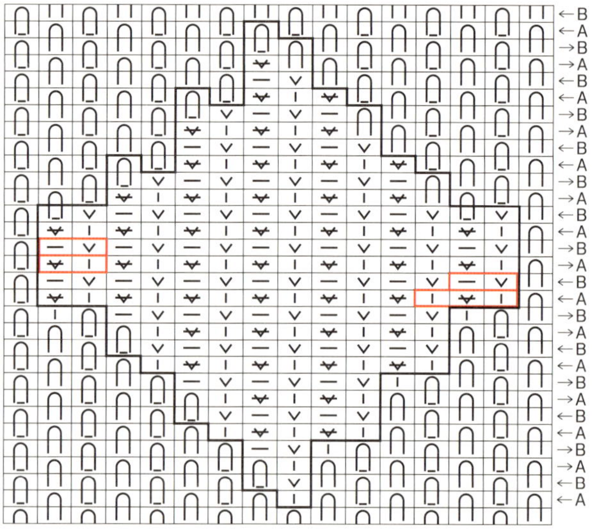

黒…A糸
マルチカラー…B糸

● 基本の4段

1段め（A糸で編む）。A糸を手前にして、左針B糸の目をすべり目、A糸をかけ目

次の目（すべり目A糸とかけ目B糸）を一緒に表編み

2段め（B糸で編む）。同じ方向で、B糸を手前にして左針A糸の目をすべり目、B糸をかけ目

次の目（すべり目B糸とかけ目A糸）を一緒に裏編み

編み地を返して3段め（A糸で編む）。左針B糸の目をすべり目、A糸をかけ目

次の目（すべり目A糸とかけ目B糸）を一緒に裏編み

4段め（B糸で編む）。同じ方向で左針A糸の目をすべり目、B糸をかけ目

次の目（すべり目B糸とかけ目A糸）を一緒に表編み

● 色変りの段（4段1模様）

1段め。A糸で色を変える手前まで編む。右針B糸をすべり目したところ（この後A糸でかけ目）

次の目はすべり目、かけ目を一緒に裏編み（下の目は表目）

2段め。1 の目（すべり目とかけ目）は一緒に表編み（下の目は裏目）

3段め。3 の目をすべり目、かけ目。次の目（すべり目、かけ目）は裏編み（下の目も同じ裏目）

4段め。4 の目すべり目かけ目、次の目（すべり目とかけ目）は一緒に表編み（下の目も同じ表目）

● ダイヤ柄

A糸で下の目（A糸すべり目、B糸かけ目）を表編み

糸を手前にして次の目を浮き目、さらに次の目を表編みにしたところ

B糸で編む段。1 で表編みにした目をすべり目

次の目、2 の浮き目を裏編みにしたところ

編み地を返してA糸で編む段。B糸をすべり目したところ

次の目をA糸で裏編みにしたところ

B糸で 5 のすべり目した目を表編み

次の目を浮き目にする

X ベリー柄の変り引上げ編み、9目一度《how to knit p.88》

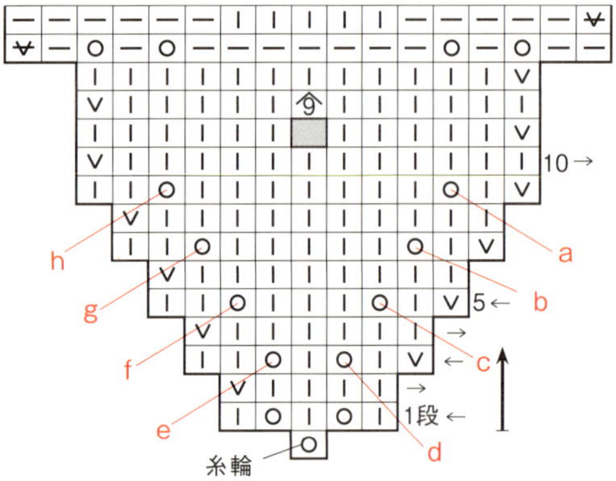

1

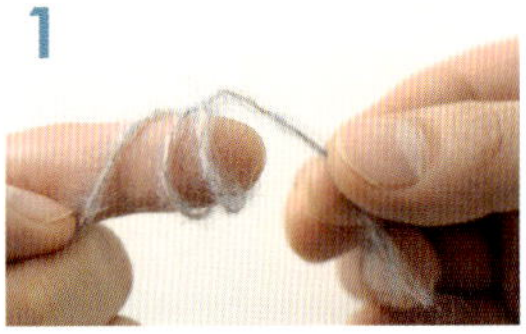

右手に糸端を持ち、左の人さし指に時計回りに2重に巻きつける

2

輪の中に針を入れ、糸をかけて引き出す（表目）。続けて、かけ目、表目、かけ目、表目で5目作る

3

記号図どおり10段編む。輪は糸を引き、縮める

4

11段めを模様の目（■）まで編む

5

穴aに、右針を表から入れて糸を引き出す

6

次は穴bに、右針を裏から入れて糸を引き出す。c～hも5, 6を繰り返し合計8目作る。目は同じ長さになるようにする

7

11段めの残りを編む

8

12段めは引き出した目の手前まで編み、9ループに針を入れ、裏編みを編む

9

編み地の残りを編む

デザイン・製作

嶋田 俊之 *Toshiyuki Shimada*

神戸生れ。大阪音楽大学大学院修了。パリ国立音楽院に短期給費研修派遣。英国王立音楽大学（ロンドン）ARCM等各種ディプロマを取得修了。その後ウイーンにも学ぶ。コンクール等での受賞を重ね、多数の演奏会に出演。学生時代よりクラフトに加えニットを始め、ヨーロッパ滞在中にニットを中心とするテキスタイルを専門的に学び、著名デザイナーのワークショップに参加、アシスタントも務める。また各地のニッターから伝統技法の手ほどきを受ける。現在は、書籍、講師やテレビ出演、海外からのデザインの依頼や訳本等、幅広く活躍。フェアアイル・ニットやシェットランド・レースなどを中心とする伝統ニットをベースに、自由な作風の作品群にも人気があり、繊細な色づかいと手法で好評を得ている。2017年、2019年、トゥヴェステッド・スコーレ（手工芸学校・デンマーク）に、初の日本人講師として招聘され、デザイナーと講師を対象とするクラスを担当。著書に『ニットに恋して』『北欧のニットこものたち』『ニット・コンチェルト』（以上日本ヴォーグ社）、『手編みのソックス』『手編みのてぶくろ』『シェットランド・レース』『バスケット編み』『ニットで奏でるエクローグ』（以上文化出版局）がある。

裏も楽しい
手編みのマフラー

2010年10月17日　第1刷発行
2023年 9月 8日　第9刷発行

著　者　嶋田俊之
発行者　清木孝悦
発行所　学校法人文化学園　文化出版局
〒151-8524 東京都渋谷区代々木3-22-1
☎ 03-3299-2489（編集）
☎ 03-3299-2540（営業）

印刷・製本所　株式会社文化カラー印刷

文化出版局のホームページ https://books.bunka.ac.jp/

ブックデザイン……………中島寛子
撮影……………三木麻奈　藤本 毅（プロセス）
スタイリング……………堀江直子
ヘア＆メイク……………河村慎也（MOD'S HAIR）
モデル……………アナイース・レイセット
　マルコム・ブラズイール
　ザカリー・ムーア
デジタルトレース……………増井美紀
校閲……………鈴木美知子
製作協力……………大坪昌美　大西文子　岡見優里子
　酒井 舞　髙野昌子　平田礼子
　宗重真理子
編集……………志村八重子
　大沢洋子（文化出版局）

〈好評既刊〉

《材料提供》
- ハマナカ　☎ 075-463-5151 http://www.hamanaka.co.jp/
- ハマナカリッチモア　☎ 075-463-5151 http://www.hamanaka.co.jp/
- ダイドーインターナショナル　パピー事業部　☎ 03-3257-7135
http://www.puppyarn.com/
- 野呂英作　☎ 0586-51-3113 http://www.eisakunoro.com
- アヴリル　☎ 075-803-1520 http://www.avril-kyoto.com/
- ホビーラホビーレ　☎ 03-3472-1104 http://www.hobbyra-hobbyre.com/
- ておりや（オステルヨートランド）　☎ 06-6353-1649 http://www.teoriya.net/
- yarn room フラフィ（シェットランド製フェアアイル毛糸）　☎ 06-7897-3911
（担当 大坪）受付は月曜のみ 13:00 ～ 18:00（祝日の場合は休み）
- MIYUKI　☎ 084-972-4747 http://www.miyuki-beads.co.jp/

《撮影協力》
- ズース（p20 ブラウス、p32 オールインワン、p.38 ワンピース）
☎ 03-3797-3019
- アワビーズ　☎ 03-5786-1600
- バックグラウンズ　ファクトリー　☎ 03-3448-9019